D0539222

VERBORGEN TAAL VAN DROMEN

VERBORGEN TAAL VAN DROMEN

EEN VISUELE REIS DOOR DE WERELD VAN DROOMBETEKENISSEN

DAVID FONTANA

met illustraties van Peter Malone

Librero

Oorspronkelijke titel: The language of dreams

Postbus 72, 5330 AB Kerkdriel
WWW.LIBRERO.NL

Eindredactie: Joanne Clay, Christopher Westhorp
Ontwerp: Gail Jones
Beeldredactie: Manisha Patel, Jan Groot
Illustraties: Peter Malone, Jules Selmes

Productie Nederlandstalige editie:
TextCase Boekproducties, Groningen
Vertaling: Yvonne de Swart
Redactie: Michiel Postema
Opmaak: Niels Kristensen

Druk- en bindwerk: Imago
Printed in Singapore

ISBN 90 5764 347 2

INHOUD

Inhoud

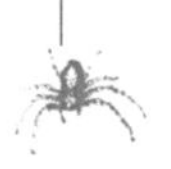

HANDELINGEN

PLAATS VAN HANDELING

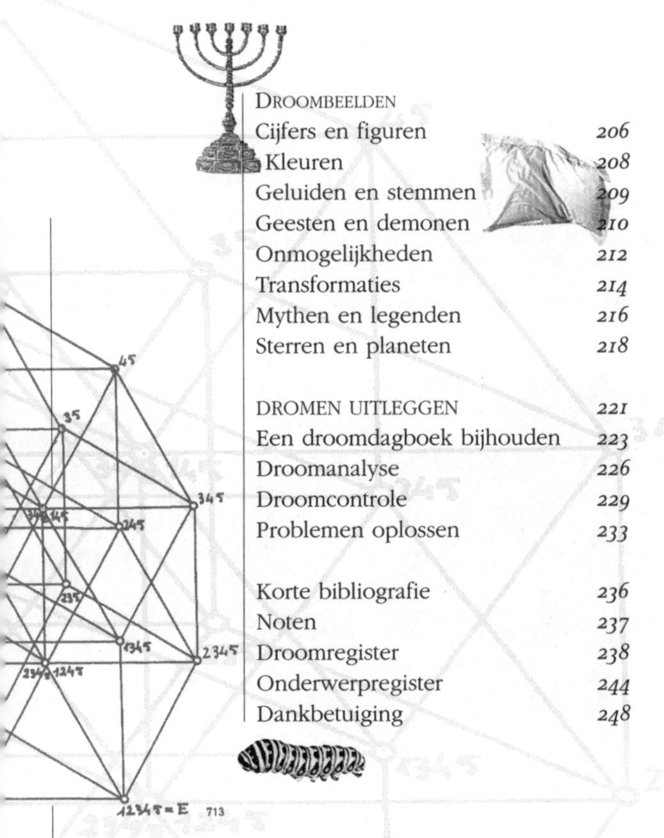
45
35
345
245
235
1345
2345
12345=E
713

Opvattingen over de wereld van dromen

We leven in twee werelden: de bewuste wereld met zijn wetten van wetenschap, logica en sociaal gedrag, en de ongrijpbare wereld van de dromen. In de droomwereld zijn fantastische gebeurtenissen, beelden en transformaties heel normaal. Vaak zijn zulke droomervaringen rijk aan diepliggende emoties of geven ze een visionair inzicht dat ver boven de waaktoestand uitstijgt.

Van oudsher hadden de meeste beschavingen de opvatting dat dromen bezoeken van de goden zijn. Nog tot voor kort interpreteerden mensen de verschijningen in hun nachtmerries als demonen die ons tot het kwaad wilden verleiden. Deze verouderde interpretaties worden in de eerste helft van dit hoofdstuk nader uitgelegd.

Modern droomonderzoek begint met Sigmund Freud (1856-1939): hij plaatste de dromen in het onbewuste, waar onze onderdrukte driften en verlangens huizen. De baanbrekende theorieën van Carl Jung (1875-1961) over de archetypen en het collectief onbewuste waren in vele opzichten een rechtstreekse reactie op Freud. Deze twee personen spelen een grote rol in een boek over dromen.

De ontdekking van de remslaap (Rapid Eye Movement) in 1953 bracht de techniek binnen het droomonderzoek met het doel de fysiologie van het dromen te onderzoeken evenals het verband tussen dromen en slapen. Het tweede deel van dit hoofdstuk gaat nader in op dit verband en laat tot slot zien hoe de voorspellende droom de afgelopen jaren is bestudeerd en onderzocht in droomlaboratoria.

DROMEN DOOR DE EEUWEN HEEN

Door de eeuwen heen hebben we geprobeerd de betekenis van onze dromen te doorgronden om te zien of ze ons inzicht geven in ons huidige leven en onze toekomst. De oudste beschavingen geloofden dat dromen boodschappen van goden brachten. Kleitabletten uit Assyrië en Babylonië uit het eind van de 4e eeuw v.Chr. laten afbeeldingen zien van een samenleving waarin priesters en koningen in hun dromen waarschuwingen van de god Zaqar ontvangen. In *Het epos van Gilgamesh*, een omvangrijke epos over een Mesopotamische koning en held, geschreven in de Akkadische taal in de 1e eeuw v.Chr., staan talrijke droomverklaringen.

De oude joodse traditie anticipeerde op de moderne droomtheorie door te onderkennen dat bij de interpretatie de leefomstandigheden van de dromer even belangrijk zijn als de inhoud van de droom zelf. In de 6e eeuw v.Chr. wist de Israëlische profeet Daniël een droom van de Babylonische koning Nebukadnezar juist te interpreteren: hij voorspelde de monarch zeven jaren van waanzin (Daniël 4). Jozef, een Israëliër die als slaaf verkocht was aan Egypte, bracht het tot een machtige positie door een droom van de farao juist te interpreteren; hij voorspelde zeven vette en zeven magere jaren (Genesis 41).

De oude Grieken bouwden meer dan driehonderd heiligdommen die

dienden als droomorakels. Mensen werden in deze heiligdommen onderworpen aan de slaapverwekkende macht van Hypnos, de god van de slaap. Wanneer ze eenmaal sliepen, kon de god Morpheus met zijn deskundigen overleggen om waarschuwingen in hun dromen door te geven. Veel van deze heiligdommen werden bekend als centra om te genezen. Zieken gingen er slapen, in de hoop op een bezoek van Aesculapius, de god van de geneeskunst, die middelen verschafte voor lichamelijke aandoeningen, terwijl de dromer, omgeven door ongevaarlijke gele slangen, lag te slapen.

In de 4e eeuw v.Chr. meende Plato dat de droom in de lever zetelde. Sommige dromen schreef hij toe aan de goden, andere aan wat hij in *De Republica* beschreef als 'een tomeloos wild beest dat tijdens de slaap opduikt'. Plato anticipeert met deze woorden op Freud, die meer dan tweeduizend jaar later leefde; Plato's leerling Aristoteles was de voorloper van het wetenschappelijk rationalisme van de 20e eeuw met zijn stelling dat dromen opgewekt worden door louter zintuiglijke oorzaken. Toch bleef over het algemeen het geloof in de goddelijke kracht van dromen wijdverbreid.

In de 2e eeuw n.Chr. vatte de sofistische filosoof Artemidorus van Daldis de wijsheid van de eeuwen ervoor samen in vijf droomboeken, de *Oneirocritica* (het Griekse *oneiros* betekent 'droom'). Artemidorus maakte gebruik van droomanalyses en observeerde de aard en frequentie van seksuele symbolen.

De oosterse droomtradities zijn filosofischer en contemplatiever dan de westerse en leggen meer nadruk op de geestesgesteldheid van de dromer dan op de voorspellende kracht van de droom zelf. Chinese wijsgeren onderkenden verschillende niveaus in het bewustzijn, en bij de interpretatie van dromen hielden zij zowel rekening met de lichamelijke conditie en de horoscoop van de dromer als met de

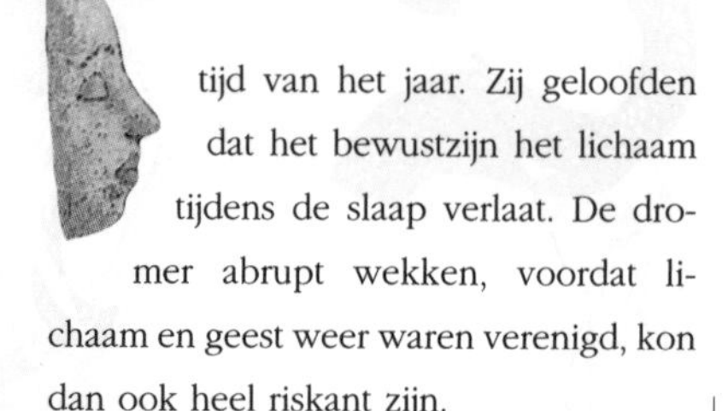

tijd van het jaar. Zij geloofden dat het bewustzijn het lichaam tijdens de slaap verlaat. De dromer abrupt wekken, voordat lichaam en geest weer waren verenigd, kon dan ook heel riskant zijn.

Indiase zieners, *rsis,* geloofden ook in een gelaagd bewustzijn en onderscheidden waken, dromen, droomloos slapen en *samadhi*, de gelukzaligheid die volgt op verlichting. De Hindoes benadrukken het belang van de individuele droombeelden door ze in verband te brengen met een uitgebreider systeem van symbolische attributen van goden en demonen. Het geloof van de Hindoes dat sommige symbolen universeel, en andere individueel zijn, is een voorbode van het werk van Freud en Jung.

In het Westen werden in de eeuwen na Artemidorus weinig vorderingen gemaakt in het droomonderzoek. De Arabieren stelden echter, onder invloed van de oosterse wijsheid, droomwoordenboeken samen. Mohammed werd bekend

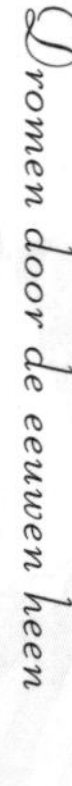

toen hij na een droom waarin hij zijn profetische roeping ontving, de basis voor de islam legde. Hierna kregen dromen een prominente plaats in de orthodoxe religieuze ideeën.

Het geloof dat dromen door de goden geïnspireerd kunnen zijn, hield stand gedurende de eerste eeuwen van het christendom. Tegen het einde van de Middeleeuwen echter schoof de Kerk de mogelijkheid terzijde dat goddelijke droomboodschappen de 'gewone' gelovige konden bereiken, en verkondigde dat de openbaring van God alleen in en door de Kerk zelf kon plaatsvinden.

Het interpreteren van dromen was echter te diep geworteld in het algemeen besef om onmiddellijk overboord te worden gegooid. Door de ontwikkeling van de druktechniek nam vanaf de 15e eeuw het aantal droomboeken in Europa snel toe, al waren ze over het algemeen nog gebaseerd op de werken van Artemidorus. En hoewel de wetenschappelijke rationalisten van de 18e eeuw meenden dat droominterpretatie een vorm van primitief bijgeloof betrof, nam de interesse voor dromen sterk toe. Steeds vaker fungeerden dromen als hoofdthema in literatuur en kunst terwijl de Romantiek opnieuw de nadruk legde op het belang van het individu en de creatieve kracht van de verbeelding.

In het 19e-eeuwse Europa begonnen zelfs filosofen als Johann Gottlieb Fichte (1762-1814) en Johann Friedrich Herbart (1776-1841) dromen serieus psychologisch onderzoek waard te vinden en plaveiden daarmee de weg voor een ware revolutie in droomtheorieën, die aan het einde van de 19e eeuw door Sigmund Freud (1856-1939) werd ingezet. In 1899 publiceerde Freud zijn monumentale werk *De droomduiding* (zie blz. 48-55). Zijn neurologische onderzoeken hadden hem overtuigd van de rol die dromen kunnen spelen om toegang tot het onbewuste, het *id*, te kunnen krijgen. Volgens Freud zetelen daar voornamelijk onze wensen en driften, die overigens overwegend seksueel van aard zijn en die meestal door het bewustzijn worden onderdrukt. De meeste dromen, zo beweerde Freud, zijn eenvoudige wensvervullingen of geven uitdrukking aan onderdrukte gedachten die hun weg naar het bewustzijn banen, terwijl het ego zich tijdens de slaap ontspant. Freud ontwikkelde technieken in de psychoanalyse om de geheime symboliek van droombeelden te duiden.

De denkbeelden over dromen van de Zwitser Carl Jung (1875-1961) vormen een sterk contrast met die van Freud. Volgens Jungs theorie van het 'collectief onbewuste' (zie blz. 57) bevat de geest een enorme hoeveelheid symboliek die we tijdens onze dromen aanspreken. In het collectief onbewuste liggen de 'archetypen' opgeslagen (zie blz. 65-77), de diep geankerde beelden en thema's die mythen en religieuze en symbolische systemen van de hele mensheid bezielen en universeel in onze dromen voorkomen.

Hoewel er de afgelopen jaren veel nieuwe technieken van droominterpretaties zijn ontwikkeld, blijft de psychoanalyse en de jungiaanse analyse een belangrijk uitgangspunt voor psychologisch onderzoek naar dromen.

De belangrijkste doorbraak in droomonderzoek tijdens de tweede helft van de 20e eeuw was de ontdekking in 1953 van de remslaap, de slaapfase waarin onze dromen het levendigste zijn (zie blz. 23). Door mensen tijdens de remslaap wakker te maken, wordt de herinnering aan de droom helderder, en kunnen we de beelden, symbolen en andere psychische gebeurtenissen die in onze slaap opdoemen, nauwkeuriger onderzoeken.

Er is echter nog een lange weg te gaan voordat we van een volwaardige droomwetenschap kunnen spreken. Tot die tijd verzamelen we door het houden van droomworkshops een behoorlijke hoeveelheid materiaal, dat hopelijk van onschatbare waarde is voor toekomstige droomonderzoekers.

DROMEN EN SLAPEN

Tegenwoordig weten we dat waarschijnlijk iedereen droomt. Hoewel de meeste mensen alle of bijna alle dromen vergeten, dromen we ongeveer een vijfde van de tijd dat we slapen. Onze 'grote dromen' verschijnen tijdens de remslaap en zijn rijk aan verhalen, symbolen en gedetailleerde droomvoorstellingen. In de momenten dat we in slaap vallen en in de momenten voor we wakker worden, ervaren we vluchtige beelden van *hypnogogische* en *hypnopompische* dromen (zie blz. 27). Ook tijdens andere perioden van de nacht dromen we en hoewel sommige van deze dromen moeilijk te onderscheiden zijn van de remdromen, zijn ze meestal fragmentarisch, minder betekenisvol en ook minder levendig van aard en kan men ze zelden na het ontwaken herinneren.

Naast de remslaap zijn er vier apart te onderscheiden fasen in de slaap, elk met haar eigen psychologische activiteiten en

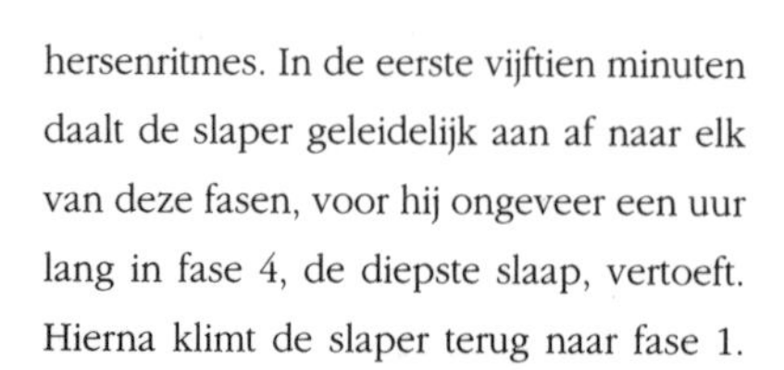

hersenritmes. In de eerste vijftien minuten daalt de slaper geleidelijk aan af naar elk van deze fasen, voor hij ongeveer een uur lang in fase 4, de diepste slaap, vertoeft. Hierna klimt de slaper terug naar fase 1. Op dit moment begint de eerste fase van de remslaap, die meestal ongeveer tien minuten duurt. Daarna wordt het proces van klimmen en dalen vier tot zeven keer herhaald, hoewel de slaap zelden weer zo diep als in fase 4 wordt. Elke periode van de remslaap wordt langer naarmate de nacht verstrijkt; de laatste remperiode kan wel veertig minuten duren.

Tijdens de remslaap en de wakende toestand zijn hersenactiviteit, adrenalinen-iveau, hartslag en zuurstofopname ongeveer gelijk, maar de spierspanning neemt af en de slaper is bijzonder moeilijk wakker te maken. Tijdens de remslaap wordt dan ook het meest gedroomd.

Onderzoekers hebben ontdekt dat het ontberen van de remslaap leidt tot prikkelbaarheid, geheugenverlies en slechte concentratie. Vrijwilligers die een nacht telkens wakker werden gemaakt op het moment dat ze in de remfase kwamen, liepen hun achterstand tijdens de volgende nachten in door langere remfasen dan gewoonlijk. Hieruit blijkt dat de remslaap onontbeerlijk is, wat in verband kan worden gebracht met de psychologische behoefte te dromen.

Recent onderzoek wees uit dat dromen gedurende de remslaap wat betreft inhoud meer visueel zijn dan dromen tijdens een andere fase in de slaap. Op grond van bevindingen is zelfs aangetoond dat de oogbewegingen tijdens de remslaap synchroon kunnen lopen aan de gebeurtenissen in de droom, wat er op wijst dat de hersenen geen onderscheid maken tussen de voorstellingswereld van de droom en de realiteit. Hetzelfde geldt voor de reactie van de hersenen op andere droomsensaties: prikkels als plotseling geluid of een plotselinge lichtflits kunnen in de droom worden opgenomen en zo worden gerationaliseerd dat ze moeiteloos in het verhaal passen.

Hoe echt onze droomervaringen ook kunnen lijken, er is iets dat ons weerhoudt om werkelijk de activiteiten en emoties die we in onze droom ervaren, uit te voeren. Er is een volkomen verlies van spierspanning gedurende de remslaap en de oogspieren zijn alleen bezig tijdens de droom. Onderzoek heeft aangetoond dat wanneer een droom het levendigste is, remmende stoffen worden geproduceerd om te voorkomen dat de spieren relevante signalen vanuit de hersenen ontvangen, zodat we niet reageren op de zintuiglijke prikkels die we in de droom ervaren. Misschien zorgt deze effectieve verlamming in de droom voor sensaties als een vruchteloze poging tot gillen of een moeizame poging tot lopen terwijl u vastzit in zand of water.

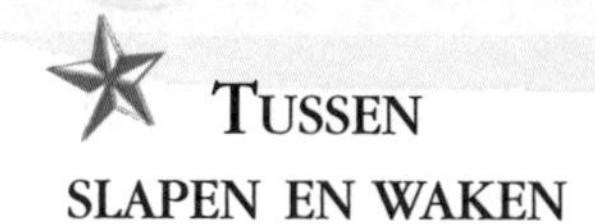

TUSSEN SLAPEN EN WAKEN

De levendige intensiteit van de remdromen wordt voorafgegaan en gevolgd door droombeelden die de geest op het grensgebied van waken en slapen bezoeken. Frederick Myers, een van de eerste Engelse onderzoekers van het onbewuste, gaf de naam *hypnogogisch* aan de dromen die aan de slaap voorafgaan en *hypnopompisch* aan de dromen vlak voor we wakker worden.

Als de dromer in slaap valt, vertonen de hersenen het gelijkmatige alfaritme, dat door een toestand van diepe ontspanning wordt gekarakteriseerd: hartslag en ademhaling worden trager en de lichaamstemperatuur daalt. Daarna nemen de alfaritmes af en komt de slaper volledig in fase 1 van de slaap, waarin hij een korte tijd vreemd en hallucinatorisch droomt, typerend voor de hypnogogische toestand. Het zijn eerder visioenen, omdat ze de verhalende complexiteit en de emotionele weergave van de droom tijdens diepere stadia van de slaap missen.

Recent onderzoek van hypnogogie heeft zich vooral op de visionaire eigenschappen gericht. Behalve de karakteristieke plaats van handeling, voorwerpen en symbolen van de remdroom, bevatten hypnogogische voorstellingen vormeloze beelden, zoals golven in heldere kleuren, patronen en motieven en geschreven tekst, soms in een vreemde, oude of zelfs verzonnen taal. Verder duiken archetypische gedaanten op, evenals komische tekenfilmfiguren en worden beelden soms ondersteboven gezien.

Hypnopompische ervaringen vertonen veel overeenkomsten met hun hypnogogische tegenhangers en houden vaak nog korte tijd in wakende toestand aan. Sommige schrijvers zeggen dat ze met opzet wakker worden uit hypnopompische dromen om figuren rond het bed te zien dansen of om een vreemd, surrealistisch landschap vanuit hun slaapkamerraam te kunnen zien. Ook hebben velen het over meer auditieve dan visuele hallucinaties tijdens beide toestanden. Stemmen waarschuwen voor dreigend onheil of flarden van een gesprek of van betoverende muziek zijn zeer realistisch waarneembaar. Ook gewaarwordingen van de tast- en reukzin komen algemeen voor.

Recent onderzoek heeft geprobeerd een verklaring te vinden voor het hallucinatorische, soms tranceachtige karakter van de hypnopompische en hypnogogische toestand door de rol van het ego te onderzoeken, wanneer het tussen waken en slapen zweeft. Er wordt geopperd dat visionaire, hypnogogische dromen voortkomen uit de poging van het ego controle te krijgen over het denkproces na de snelle overgang uit het bewustzijn en het verlies van contact met de realiteit.

De Amerikaanse psycholoog Andreas Mavromatis meent dat zowel hypnopompische als hypnogogische ervaringen dienen als angstremmers; de dromer laat spanningen van het bewuste leven los, wat persoonlijke groei en ontwikkeling

bevordert. Door de verhalende en emotionele complexiteit van de remdromen te vermijden en in plaats daarvan de gebruikelijke beperkingen van de gedachten te laten vallen, is de dromer in staat zijn onbewustzijn te overzien. Terwijl we de schat aan materiaal in onze geest overwegen, afwegen en schiften, brengt dit proces creatieve inzichten die vanuit het niets plotseling in het bewustzijn kunnen opduiken.

LUCIDE DROMEN

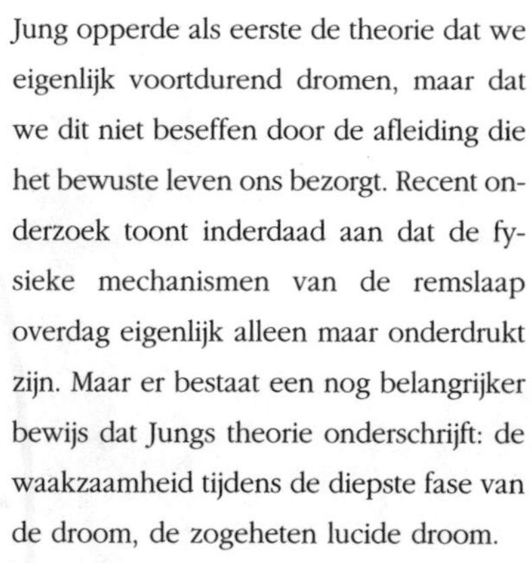

Jung opperde als eerste de theorie dat we eigenlijk voortdurend dromen, maar dat we dit niet beseffen door de afleiding die het bewuste leven ons bezorgt. Recent onderzoek toont inderdaad aan dat de fysieke mechanismen van de remslaap overdag eigenlijk alleen maar onderdrukt zijn. Maar er bestaat een nog belangrijker bewijs dat Jungs theorie onderschrijft: de waakzaamheid tijdens de diepste fase van de droom, de zogeheten lucide droom.

De Engelse droomonderzoeker Celia Green heeft gewezen op de voornaamste verschillen tussen lucide dromen en gewone, niet-lucide dromen. Lucide dromen blijken vrij te zijn van de irrationele en onsamenhangende verhalen die de niet-lucide droomtoestand kenmerken en ze worden met een opmerkelijke precisie herinnerd. Tijdens een lucide droom heeft de dromer toegang tot zijn herinneringen en de gedachtefuncties van de wakende toestand, en voelt hij niet echt het verschil tussen slapen en waken. De dromer beseft dat hij droomt.

In een gewone droom beseft de dromer door iets ongebruikelijks of onlogisch plotseling dat hij droomt. De bijbehorende golf van opwinding maakt deze ervaring onmiskenbaar. Kleuren krijgen een levendige helderheid en voorwerpen tekenen zich af met een scherpte die onze gewaarwordingen in wakkere toestand overtreft. Het opmerkelijkst is misschien dat de dromer voortdurend het verloop van de droom onder controle heeft, dat hij kan beslissen waar hij heengaat en wat hij gaat doen, en met de droomomgeving kan experimenteren.

Merkwaardigerwijs kan de dromer nooit volledige controle uitoefenen op een lucide droom. De dromer kan bijvoorbeeld in de droom beslissen een tropisch eiland te bezoeken, maar bij aankomst kan alles onbekend en verrassend zijn.

In lucide dromen lijken bewuste en onbewuste gedachten met elkaar te communiceren en doeltreffend met elkaar samen te werken. Door de lucide droom onder controle van het bewustzijn te brengen, bereikt de dromer diepere lagen van zelfkennis.

Door zich bewust te zijn van het verloop van de droom of door deze zelfs te sturen, kan de dromer bewust besluiten zijn angsten en verlangens onder ogen te zien. In plaats van te vluchten voor de duistere krachten in zijn droom, kan de lucide dromer de monsters juist oproepen en voor de confrontatie kiezen, omdat hij weet dat het slechts een droom is. Door in zijn onbewuste oog in oog te staan met het monster vermindert de dromer niet alleen de dreiging daarvan, maar kan hij ook de krachten kanaliseren die hem eerder angst inboezemden.

Verwant aan de lucide droom is de halflucide droom, de droomervaring die bekendstaat als de halfslaap. Tijdens deze toestand is de droom ook levendig en helder en toch is de dromer zich niet bewust dat hij droomt, hij denkt dat hij wakker is. Tot in de kleinste details droomt hij dat hij opstaat, zich wast en ontbijt. Even later zal hij inderdaad moeten opstaan en het hele ritueel écht doen.

Lucide dromen zijn waardevol voor onderzoekers die een antwoord proberen te geven op de vraag of gebeurtenissen in dromen een reële tijdsduur hebben of verkort zijn. Testen van Stephen Laberge aan de universiteit van Stanford in Californië, waarbij lucide dromers door middel van afgesproken oogbewegingen de vorderingen van een serie voorgeprogrammeerde droomgebeurtenissen aangaven, wijzen er sterk op dat de droomtijd de werkelijke tijd benadert.

VOORSPELLINGEN EN WAARNEMINGEN

Het geloof in de kracht van voorspellende dromen is al zo oud als de geschiedenis. In veel oude beschavingen werd de droom die waarschuwde voor een aanval of plaag met eerbied behandeld. Zo kon de dromer de ramp op tijd voorkomen door de strijdwijze te veranderen.

De erfenis van het Europese wetenschappelijk rationalisme heeft velen van ons vandaag de dag doordrongen van een diepgeworteld scepticisme, maar verhalen over voorspellend dromen blijven betrekkelijk gewoon, vooral in relatie tot de vrienden- en familiekring. Een eerste serieuze poging de voorspellende waarde van dromen te onderzoeken kwam van John William Dunne.

In 1902 had Dunne, een Engelse luchtvaartingenieur, een voorspellende droom die daadwerkelijk uitkwam, over de uitbarsting van de Mont Pelée op Martinique. In zijn droom waarschuwde hij de Franse autoriteiten dat de vulkaan op het punt van uitbarsten stond en dat 4000 mensen het leven zouden verliezen. Vervolgens las hij hogelijk verbaasd in de krant dat de vulkaan inderdaad was uitgebarsten. De krantenkoppen spraken echter van 40.000 doden, en Dunne kwam tot de conclusie dat het niet een visioen van de vulkaan was die hem op de ramp had gewezen, maar het lezen van een krantenbericht in zijn droom, waarbij hij de kop verkeerd gelezen had.

Voorspellende dromen die volgden, overtuigden Dunne dat toeval niet de verklaring was voor zijn voorgevoelens. Hij geloofde dat mensen in hun dromen kunnen vooruitblikken en terug in de tijd kunnen gaan, wat hij in zijn boek *An Experiment with Time* (1927) toelichtte.

In 1971 ontwikkelden twee wetenschappers, Montague Ullman en Stanley Krippner, in samenwerking met het Medisch Centrum Maimonides in New York, een methode om voorspellend dromen

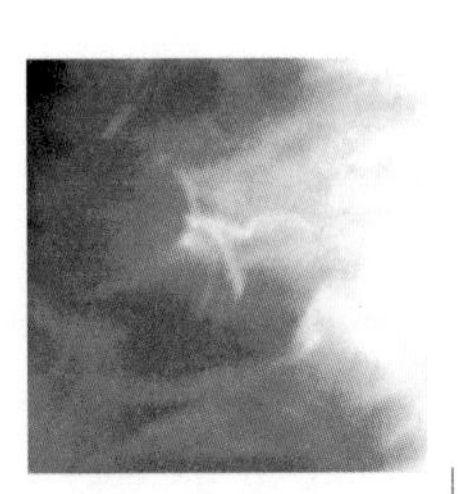

onder laboratoriumomstandigheden te onderzoeken. Ze werkten met Malcolm Bessant, een begaafd Engels medium. Voordat Bessant ging slapen werd hem verteld dat hem de volgende dag een 'speciale multi-zintuigelijke ervaring' te wachten stond, die willekeurig door de onderzoekers gekozen werd. Hij zou bijvoorbeeld een brand te zien krijgen of er zou hem chocola gegeven worden, ter-

wijl hij een bepaalde symfonie te horen kreeg. De onderzoekers wekten hem na elke remfase om zijn dromen bij te houden en een onafhankelijk team vergeleek zijn dromen met de 'speciale zintuiglijke ervaringen' die erop volgden.

Deze experimenten waren zeer succesvol. Van de twaalf projecten die het team van Maimonides tussen 1966 en 1972 uitvoerde, waren er negen positief. In de loop van de jaren 70 en 80 voerde hetzelfde team experimenten uit om de meer voorkomende vormen van ESP (Extra Sensory Perception, of buitenzintuiglijke waarneming) in dromen te onderzoeken. Ze gebruikten hierbij bekende kunstafbeeldingen als richtpunt. Een medewerker zonderde zich af, concentreerde zich op een willekeurige afbeelding, probeerde deze dan naar de dromer te zenden en in zijn droom te integreren. Weer waren de resultaten indrukwekkend: een score van 83,5% bij twaalf experimenten.

Onderzoekers hebben helderziende dromen verzameld, die duidelijk verband hielden met de ramp van de Titanic. Ook een oproep in de Engelse pers naar mensen die de ramp in Aberfan in hun dromen hadden voorzien, leverde bijzonder boeiende resultaten op. Het leidde in 1967 tot de oprichting van het British Premonitions Bureau en de American Central Premonition Registry. In Aberfan, een kolenmijnstadje in Wales, werden bij een lawine van kolenafval 140 mensen levend begraven.

Dromen over de dood van geliefden zijn algemener. Een van de bekendste is die van ontdekkingsreiziger Henry Stanley, die na zijn nederlaag bij de slag van Shiloh tijdens de Amerikaanse Burgeroorlog tot in de finesses droomde van de onverwachte dood van zijn tante die zo'n 4000 kilometer verder in Wales woonde. Van Abraham Lincoln is bekend dat hij in 1865 over zijn eigen dood droomde, een paar dagen voor de sluipmoordenaar John Wilkes Booth hem vermoordde.

LAGEN VAN BETEKENIS

Bij de interpretatie van dromen is het uiterst belangrijk de structuur van de lagen van de geest te begrijpen. Het beste model hiervoor is nog steeds de vierdelige hiërarchie, gebaseerd op theorieën van Freud en Jung.

Het bewustzijn wordt beheerst door het *ego*, het 'ik' dat in de buitenwereld optreedt. Het bewustzijn is het rationele, bewuste deel van de geest.

Het voorbewustzijn bevat materiaal dat toegankelijk is voor de bewuste geest, zoals feiten, herinneringen en ideeën.

Het persoonlijk onbewuste bevat halfvergeten herinneringen, verdrongen trauma's en emoties en niet erkende motieven en driften. Dit is wat Freud het *id* noemde, wat hij beschouwde als de primitieve, instinctieve kant van onszelf die door ons ego gecontroleerd moet worden.

Het collectief onbewuste is een genetische, door overerving bepaalde laag

van de geest waar begrippen, symbolen,

thema's en archetypen (zie blz. 65-77) opgeslagen liggen, die het grondmateriaal vormen voor veel mythen, legenden en godsdienstige vertellingen.

Er bestaat ook een onderverdeling in drie soorten dromen, elk verwant met een van de drie onbewuste lagen van de geest.

Niveau 1 is het oppervlakkigst en heeft betrekking op het materiaal in het voorbewustzijn. Droombeelden in deze staat kunnen vaak van betekenis zijn.

Niveau 2 heeft te maken met het persoonlijk onbewuste en maakt hoofdzakelijk gebruik van symbolische taal die eigen is aan de dromer.

Niveau 3 bevat wat Jung 'grote dromen' noemde. Deze dromen houden verband met materiaal uit het collectief onbewuste.

DE AARD VAN DE DROOM

Zijn dromen de openbaring van een verborgen creatieve bron in onszelf of zijn ze verwarde overblijfselen van gedachten en beelden van overdag?

Alleen in het Westen probeert men steeds weer verwoed de waarde van dromen te ontkennen. De wetenschap is er tot nu toe nog niet in geslaagd het theater van de dromen, de slaap, te begrijpen.

Sinds de ontdekking van de remslaap (zie blz. 23) hebben wetenschappers droomonderzoeken in laboratoria uitgevoerd en de dromen met behulp van de moderne technologie geanalyseerd. Toch blijft de vraag van Freud en Jung onbeantwoord: dromen we om te kunnen slapen, of slapen we om te dromen?

Hoewel wetenschappers ertoe neigen toe te geven dat er een bedoeling van het dromen moet zijn, verschillen

ze van mening over wat die bedoeling dan is. Het idee dat de meeste droominterpretatoren onderschrijven, is dat dromen ons waarschuwen voor belangrijke aspecten in ons onbewuste.

Freud geloofde dat dromen gecodeerde boodschappen zijn van het onbewuste om onderdrukte verlangens en driften kenbaar te maken. Jungerianen onderkennen zelfs een collectief en creatief subniveau (zie blz. 57), dat voor ons welbevinden van vitaal belang is en dat niet alleen de beelden van onze dromen maar ook die van mythen, legenden en religieuze grondbeginselen genereert. De theorieën van deze denkbeelden zijn de twee pijlers waarop dit boek is gebouwd.

We onderzoeken nu eerst even de theorie van de 'geestelijke ballast'. Deze theorie gaat ervan uit dat we dromen om ons te ontdoen van ongewenste, geestelijke bagage en dat wel de functie maar niet de inhoud van dromen belangrijk is.

Er kleven verschillende bezwaren aan deze benadering. In de eerste plaats is de inhoud van de droom niet zonder betekenis. Dromen verschaffen belangrijke inzichten zowel in psychisch als mogelijk in lichamelijk opzicht en kunnen van onschatbare waarde zijn bij het oplossen van problemen. Hoewel ze misschien verwarrend en willekeurig lijken, toont gedetailleerd, deskundig onderzoek aan dat ze een ongelooflijke hoeveelheid betekenissen bevatten die in verband staan met de omstandigheden van de dromer. Het is niet bewezen dat de mensen die een betekenis aan hun dromen proberen toe te kennen psychisch minder gezond zijn dan mensen die dat niet doen; integendeel.

Niemand die geruime tijd een droomdagboek (zie blz. 223-225) bijhoudt, zal kunnen ontkennen dat dromen een opmerkelijke coherentie vertonen met het verborgen verleden van zijn innerlijke wereld.

Echter, als dromen belangrijke boodschappen uit het onbewuste naar de bewuste lagen van de geest overbrengen, waarom vergeten we dan zoveel van wat we in onze slaap meemaken? Hier bestaan meerdere theorieën over: een ervan betreft de manier waarop we wakker worden. We schrikken niet meer wakker zoals onze primitieve voorouders dat deden, alert voor de gevaren van het buitenleven: wij ontwaken langzaam uit onze slaap in de veiligheid van ons bed. Dit is wellicht de reden dat de meeste dromen vergeten worden in de periode tussen slapen en waken. Een andere theorie is dat we gewoon te veel slapen en dat de uren die we slapen zonder te dromen de herinneringen aan onze dromen verstikken.

Misschien ook verhindert het onoverzichtelijke en ongedisciplineerde karakter van onze geest ons dromen te herinneren. Van aanhangers van hindoeïstische en boeddhistische esoterische orden wordt gezegd dat ze een ononderbroken bewustzijn tijdens hun slaap ervaren dankzij hun intensieve training in concentratie- en meditatietechnieken. Ze beweren dat ze hun dromen niet alleen onthouden omdat ze zich ervan bewust zijn, maar ook omdat ze de droom kunnen sturen.

Volgens Freud wordt 'droomamnesie' veroorzaakt door wat hij de *censor* noemde, het onderdrukkende verdedigingsmechanisme dat de bewuste geest beschermt tegen de hoeveelheid storende beelden, driften en verlangens die in de diepere lagen van het onbewuste huizen.

Alles wat nodig is voor droomonderzoek is een bloknoot en een pen om de dromen op te schrijven, een wekker voor degene die zijn droom moeilijk kan onthouden en wat advies bij de interpretatie ervan. Gewapend met dit minimum aan materiaal kunnen we ons droomleven doorgronden en uiteindelijk de functie en de waarde van dromen in ons leven als geheel integreren.

FREUD OVER DROMEN

Sigmund Freud (1856-1939) begon zijn klassieke werk *De droomduiding* met een voor 1899 revolutionair statement: "Ik zal het bewijs leveren dat er een psychoanalysetechniek bestaat die het ons mogelijk maakt dromen uit te leggen." Hiermee was de moderne psychologie geboren.

Freud schoolde zich in Venetië tot medicus. Tijdens zijn latere werk als neuroloog onderwierp hij zich aan langdurige sessies van zelfanalyse om het onderbewustzijn verder te onderzoeken, en werd als gevolg hiervan overtuigd van de rol van de droom om toegang te kunnen krijgen tot het materiaal dat onder het bewustzijn verborgen ligt.

Aan zijn droomtheorieën ligt zijn overtuiging ten grondslag dat de geest zijn inhoud op verschillende niveaus verwerkt. Hij maakte onderscheid tussen het 'eerste proces', werkzaam in de onbewuste dromende geest, en het 'tweede proces', dat de bewuste gedachten weergeeft.

Freud meende dat tijdens het eerste proces onbewuste impulsen, wensen en angsten in symbolen worden omgezet; deze zijn gekoppeld aan associaties die niet belemmerd worden door zaken als tijd en ruimte, recht of onrecht, aangezien het onbewuste zich niet houdt aan de logica, waarden en sociale aanpassing in het bewuste leven.

Het tweede proces onderwerpt gedachten aan de wetten van de logica, zoals een zin wordt geregeerd door de regels van de grammatica.

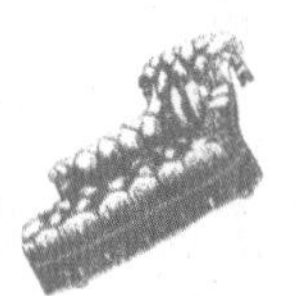

Freud beweerde dat onbewuste instincten in een soort primitieve chaos ronddwalen, elk voor zich, en op een dierlijke en amorele manier op zoek zijn naar bevrediging. Hij gebruikte de term *id* (letterlijk: het) om het primaire deel van de geest te beschrijven en beweerde dat het id oerinstincten bevat, zoals het instinct tot zelfbehoud.

Volgens Freud regeert het id ons onbewuste leven, en geven dromen in fantasievorm uitdrukking aan verlangens.

Toch komen onze dromen niet rechtstreeks voort uit deze anarchistische instincten. Als dat wel zo zou zijn, zouden ze de dromer wekken vanwege hun storende, vaak asociale en potentieel psychisch schadelijke inhoud. Vandaar dat ze in een symbolische vorm tot uitdrukking komen.

Overdag houdt het ego, het rationele deel van de geest, de primitieve driften van het id in bedwang. In de slaap echter, komt deze bewuste controle tot rust en treedt het id op de voorgrond, dat onze geest met zijn kwalijke plannen overspoelt. Om het slapende ego tot het ontwaken tegen de storende stortvloed te beschermen, vertaalt een geestelijk hulpmiddel, de *censor*, de inhoud van het id in een minder ontwrichtende vorm. Het doel van dromen is het bewaken van de slaap door de droominhoud zodanig te symboliseren dat deze onschadelijk weergegeven wordt aan de censor.

Freud meende dat dromen altijd een *manifeste* en een *latente* gedachtewereld

bevatten. De manifeste droominhoud is de droom zoals hij zich aan ons voordoet, terwijl de latente droominhoud bestaat uit wat het onbewuste werkelijk probeert door te geven aan het bewustzijn.

De manifeste droominhoud heeft twee belangrijke manieren om de latente droominhoud te verhullen en zo aan de censor te ontsnappen. De eerste is *de verdichting*: twee of meerdere droombeelden worden tot één symbool samengevoegd. Freud interpreteerde bijvoorbeeld vaak beelden van oudere mannen in de dromen van zijn patiënten als een verdichting van hun vaders en van Freud zelf, hun analyticus. Meer associatief dan logisch smelten in de manifeste inhoud deze twee beelden samen om de overeenkomst te geven in onze houding tegenover beiden.

Het tweede hulpmiddel dat onze dromende geest gebruikt, is *de verschuiving*. Net als bij verdichting is verschuiving gebaseerd op associatie, waarbij het ene droombeeld door het andere wordt ver-

taald. Toen een patiënt van Freud droomde van een schip met volle zeilen met een vooruitgestoken boegspriet, interpreteerde Freud dit als een verschuivingsbeeld: het schip staat voor de moeder van zijn patiënt, de zeilen staan voor haar borsten en de boegspriet is hier het symbool van de penis, welke de patiënt zijn sterke moeder toedichtte.

Vrije associatie is een methode die Freud nodig achtte om verdichtingen en verschuivingen van de manifeste droominhoud te omzeilen en tot de interpretatie van een droom te komen. Door de keten van de vrije associatie te volgen, die begint bij een individueel droombeeld, kunnen we voortgaan waar onze gedachtestroom ons heenleidt, of kunnen we plotseling tot stilstand worden gebracht als we weerstand voelen; een onverwachte blokkade in de geest die gewoonlijk de aard van het onbewuste probleem onthult.

Een andere belangrijke gedachte in Freuds interpretatiemethode is *de secun-*

daire revisie. Deze term beschrijft de wijze waarop we gebeurtenissen en beelden van onze dromen veranderen en ze aan onszelf of aan iemand anders toeschrijven.

Freuds theorie dat alle dromen afkomstig zijn vanuit de oerchaos van het id werd hevig tegengesproken door aanhangers van het idee dat een droom misschien gewoon het vervolg is van de gedachtestroom van overdag of een reactie op recente gebeurtenissen.

In 1920 veranderde Freud zijn denkbeelden: hij maakte een scheiding tussen wat hij dromen van 'boven' en die van 'beneden' noemde. Dromen van beneden komen voort uit het onbewuste en "kunnen worden gezien als een aanval op wat tijdens de wakende toestand onderdrukt wordt"; terwijl de dromen van boven afkomstig zijn van de gebeurtenissen van overdag, "versterkt door onderdrukt materiaal dat is vrijgemaakt van het ego" (materiaal dat onaanvaardbaar is voor het ego en dus in het id onderdrukt wordt).

Freud meende dat veel van ons bewuste gedrag gedreven wordt door de behoefte onbewuste driften te bevredigen. Overdag kanaliseren we instinctief energie in sociaal geaccepteerde vormen, door gebruik te maken van *verdedigingsmechanismen* van het ego, zoals onderdrukking, ontkenning en projectie. Het ego streeft ernaar het id te overtuigen gehoor te geven aan zijn drijfveren. Als het ego in zijn verzoenende taak zou falen of zou nalaten zich te verdedigen tegen de storende aanvallen van het id, kunnen onderdrukte instincten en weggestopte trauma's leiden tot een totale doorbraak in ons bewustzijn.

Ook als we aan een dergelijk lot ontkomen, kunnen conflicten tussen het ego en het id leiden tot obsessies, depressies en angsten, en uiteindelijk tot neurosen.

Met de hulp van een psychoanalyticus kunnen we dergelijke conflicten vermijden en het id zijn macht ontnemen. Freud zag de droominterpretatie als een essentieel onderdeel van deze taak.

JUNG OVER DROMEN

Carl Gustav Jung (1875-1961), de grondlegger van de analytische psychologie, werkte het grootste deel van zijn leven in een psychotherapeutische privékliniek in Kusnacht in Zwitserland. Evenals Freud, met wie hij van 1909 tot 1913 nauw samenwerkte, geloofde Jung in de rol die het onbewuste bij neurosen en psychosen speelt, en in het aandeel van dromen bij het ophelderen van de oorzaken van onbewuste problemen.

Toch brak Jung met Freud toen hij tot het besef kwam dat algemene thema's in de wanen en hallucinaties van zijn patiënten niet uit persoonlijke, onbewuste conflicten voortkomen, maar ontstaan uit een soort gemeenschappelijke bron. Zijn uitgebreide kennis van beschouwende godsdiensten, mythologie en symboliek, zoals alchemie, overtuigden hem dat de-

zelfde algemene thema's door culturen en landen over de hele wereld spelen. Zo kwam Jung tot het begrip 'collectief onbewuste': het genetisch bepaalde deel van de geest dat mythen in het leven roept en voor alle mensen gelijk is, en dat dienst doet als bron van het psychisch bestaan. Jung gaf de naam 'archetypen' aan deze mythologische motieven en oerbeelden uit het collectief onbewuste en zag ze in de vorm van symbolen steeds terug in de belangrijke mythen en legenden van de wereld en in onze diepste en betekenisvolste dromen.

Toen Jung de theorie van Freud dat onze levensenergie in de eerste plaats seksueel is, verwierp, had dit grote gevolgen voor de droominterpretatie. Jung zag de seksuele symboliek in de droom als een uiting van een dieper, niet-seksueel niveau van begrijpen, terwijl Freud de seksuele inhoud letterlijk interpreteerde. Volgens Jung zijn 'grote dromen' (voortkomend uit het collectief onbewuste) geen gecodeerde boodschappen die zinspelen op bepaalde wensen, maar ontsnappingen uit 'de enorme historische schatkamer van de mensheid'.

Jung verwierp Freuds theorie van de vrije associatie, omdat de keten van associaties vaak te ver van het oorspronkelijke droombeeld eindigt. Jung gaf de voorkeur aan de directe associatie, waarbij de analyticus zich op de droom concentreert en voorkomt dat de gedachtestroom afdwaalt door steeds maar weer terug te keren naar het oorspronkelijke beeld.

Volgens Jung is psychotherapie een proces van ontdekking en bewust wording. Aanhangers van Jung menen dat door in contact te komen met de mythische thema's van ons collectief onbewuste, we langzamerhand onze verschillende, ongelijkwaardige en soms conflictueuze aspecten integreren.

Jung prefereerde *de amplificatie* van de droomsymbolen, het uitspinnen van diepere betekenissen door ze in hun bredere mythische context te plaatsen. Jungs uitgebreide analyses van droommateriaal

toonden "de talrijke connecties tussen individuele droomsymboliek en middeleeuwse alchemie" aan. Alchemie was de voorloper van modern onderzoek van het onbewuste en van technieken om het afval, of de grondstof, van psychische conflicten en verwarring om te zetten in het goud van de persoonlijke volledigheid.

Jung trok niet alleen parallellen tussen droomsymbolen en de alchemie, maar vond in de alchemie ook een symbolische representatie van jungiaanse analyse en de ontwikkeling van de menselijke psyche. In hun zoektocht naar de krachten van zelfverwezenlijking streefden alchemisten naar het verenigen van tegenstellingen als zwart en wit, heet en koud, leven en dood, mannelijk en vrouwelijk, en riepen ze de steen der wijzen in het leven, het principe van zelfwording.

Jung vond in deze symbolische alchemistische veranderingen een complexe metafoor voor de zelfwording van het mannelijke en het vrouwelijke, anima en animus, bewustzijn en onbewustzijn, het stoffelijke en het geestelijke, die in zijn visie leidde naar volledigheid in de menselijke psyche, een proces dat door Jung is beschreven met een term uit de alchemie: *individuatie*.

Volgens Jung was elke fase van het leven belangrijk voor de ontwikkeling en hij beklemtoonde dat de mogelijkheid voor groei en zelfverwezenlijking tot op hoge leeftijd aanwezig is. Psychotherapie en droomanalyse hebben tot doel het individu toegang te verschaffen tot het onbewuste. In de loop van dit integratieproces verzoenen mannen en vrouwen niet alleen onverenigbare kanten in zichzelf, maar maken ze een vaak onderdrukt *religieus besef* vrij. Jung ontdekte door zijn werk met de dromen en neurosen van zijn patiënten dat dit besef net zo sterk is als de freudiaanse seksuele drift en agressie. Religieus besef heeft niets met geloofsovertuiging en dogma's te maken, maar is een uitdrukking van het collectief onbewuste, dat inspireert tot spiritualiteit en liefde.

Casus I

Freud onderwierp in 1895 voor het eerst een eigen droom aan een gedetailleerde interpretatie. De droom ging over Irma, een jonge weduwe en vriendin van de familie. Freud behandelde haar voor 'hysterische angsten'.

De droom: Freud droomde dat hij Irma een standje gaf, omdat zij zijn 'oplossing' voor haar angstproblemen verwierp: "Als je nog steeds pijn krijgt, is dat toch echt je eigen schuld." Ze klaagde smartelijk over 'verstikkende' pijnen in haar keel, maag en buik. Geschrokken onderzocht Freud haar keel en trof een grote witte vlek aan en 'merkwaardige kronkelige gevalletjes', die lijken op 'neusbeentjes'. Dr. M. herhaalde het onderzoek en bevestigde Freuds bevindingen. Freud kwam tot de conclusie dat de infectie was veroorzaakt door een injectie, gegeven door Otto, een bevriende arts, waarschijnlijk met een onreine spuit. Dr. M. veronderstelde dat Irma spoedig dysenterie zou krijgen en dat het gif uitgescheiden zou worden.

Casus I

De interpratie: Freud zag deze droom als een wensvervulling. In zijn droom maakt hij Irma eerst verwijten voor haar pijn, wat duidt op zijn verborgen wens de verantwoordelijkheid voor het falen van de psychoanalyse te ontlopen en op zijn angst psychosomatische en fysieke problemen te verwarren. Irma's 'pijnen' werden niet veroorzaakt door zijn behandeling van haar psyche, maar door de onreine spuit die Otto had gebruikt. Freuds onzekerheid over zijn eigen behandeling van Irma werd gesymboliseerd door de rol van Dr. M., op wie Freud ooit een beroep had gedaan. De witte plek in de keel van Irma deed Freud aan difterie denken en aan zijn verdriet toen zijn eigen dochter deze ziekte had, de neusbeentjes herinnerden hem aan zijn eigen cocaïnegebruik.

CASUS II

Jung had deze droom toen hij het verband probeerde aan te tonen tussen archetypische droomsymbolen uit het collectief onbewuste en het middeleeuwse symbolische systeem van de alchemie.

De droom: Jung kreeg een reeks dromen waarin een nieuwe vleugel aan zijn huis werd gebouwd. Hij was er nog niet in geweest tot hij op een nacht door dubbele deuren liep en in een zoölogisch laboratorium terechtkwam, dat leek op de werkplaats van zijn vader. Om hem heen stonden honderden glazen potten met alle denkbare soorten vissen. Hij zag een gordijn bewegen en erachter vond hij de slaapkamer van zijn overleden moeder, leeg, op een rij drijvende houten huisjes na, met in elk twee bedden. Een deur gaf toegang tot een enorme, luxe hal waarin een brassband dans- en marsmu-

ziek speelde. De uitgelaten en mondaine sfeer stond in schril contrast met de sombere sfeer van de eerste twee kamers.

De interpretatie: veel van Jungs 'grote dromen' speelden zich af in een droomhuis. Toen hij eindelijk toegang kreeg tot de nieuwe vleugel van zijn huis, betrad hij symbolisch gebieden van zijn geest die nog niet ontdekt waren. De vleugel bestond uit twee delen. Het laboratorium en de slaapkamer vertegenwoordigden zijn verborgen spirituele kant, nader gesymboliseerd door de vele vissen, een oud symbool voor Christus. Achter de gordijnen, waar zijn eigen Schaduw (zie blz. 71) zich schuilhield, bevond zich de slaapkamer met de drijvende dubbele bedden die als symbolen dienden van het alchemistische *coniunctio,* het mystieke innerlijk samengaan van het mannelijke en het vrouwelijke. Het tweede gedeelte van de vleugel, de hal met de luidruchtige band, vertegenwoordigde de bewuste geest, de rationele wereld van overdag.

Casus III

DE TAAL VAN DE ARCHETYPEN

Archetypen zijn algemene thema's die vanuit het collectief onbewuste naar boven komen en in symbolische vorm terugkomen.

Meestal geven archetypische dromen ons het gevoel dat we de wijsheid hebben ontvangen van een bron van buiten datgene wat we gewoonlijk als onszelf herkennen. Of we deze bron kunnen beschrijven als een reservoir van spirituele waarheid is van minder belang dan dat we het bestaan ervan erkennen.

In onze 'grote dromen' verschijnen archetypen als symbolen of worden ze gepersonifieerd als goden en godinnen, helden en heldinnen, onwerkelijke dieren en krachten van goed en kwaad, vormen die we goed kennen uit het bewuste denken. Jungianen beklemtonen echter dat we ons nooit mogen identificeren met individuele archetypen, omdat elk slechts een onderdeel van het volledige zelf is. Door de

vele archetypen van het collectief onbewuste te integreren, hopen jungianen het individuatieproces te bevorderen (zie blz. 60).

Archetypische dromen verschijnen meestal tijdens belangrijke, beslissende momenten in ons leven, zoals de eerste schooljaren, de pubertijd, het beginnend ouderschap, de middelbare leeftijd, de menopauze en de ouderdom. Bovendien verschijnen deze dromen wanneer ons leven verandert of onzeker is en markeren ze het proces naar individuatie.

Jung waarschuwde er echter voor dat wanneer de inhoud van archetypische dromen de ideeën en opvattingen van het bewustzijn van de dromer sterk lijkt te weerspreken, er sprake kan zijn van een scheiding tussen het collectief onbewuste en de waaktoestand van de dromer. Zulke psychische blokkades moeten overwonnen worden voordat verdere voortgang mogelijk is.

Droomarchetypen zijn van vitaal belang om onze 'ware ik' te onderzoeken.

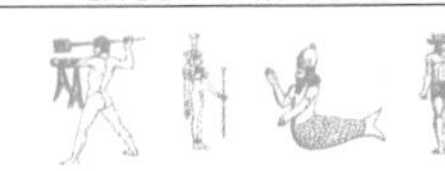

Door ze in onze dromen op te zoeken en ze te leren herkennen, slaan we een brug naar ons onbewuste. Elk archetype is een schakel in de keten van mythische associaties. Door de identiteit van elk archetype vast te stellen, kunnen we andere archetypen in ons bewuste droomleven ophalen en zo dieper in ons collectief onbewuste graven.

Volgens de jungiaanse analysten Edward Whitmont en Sylvia Perera weten we dat we de wereld van archetypen hebben betreden als onze dromen ons confronteren met gewaarwordingen die redelijkerwijs in ons dagelijks leven onmogelijk zijn en die ons leiden naar "het rijk van sprookjes en magie". De meeste dromen weerspiegelen de beperkingen van de realiteit, maar wanneer we ons in een veranderende wereld bevinden waarin dieren praten, vreemde personen door gesloten deuren binnenkomen en waar bomen in prachtige vrouwen veranderen, weten we dat we met archetypische krachten te maken hebben.

Archetypische droombeelden en gebeurtenissen lijken vaak een vooraf vastgelegde dramatische lading te bevatten. De droom kan zich in een historische of culturele omgeving, ver buiten de wereld van de dromer afspelen. Dit is een symbolisatie van het reizen van de dromer buiten de grenzen van zintuiglijk bewustzijn en psychologische ervaring. Archetypische dromen geven de dromer het besef van groot belang te zijn, door hem "een aanwijzing betreffende verlichting, een waarschuwing of bovennatuurlijke hulp" in te fluisteren. Bovendien hebben archetypische dromen wat Jung 'kosmische eigenschappen' noemt: de dromer ervaart een gevoel van tijdelijke of ruimtelijke oneindigheid in dromen waarin bijvoorbeeld met een enorme snelheid grote afstanden worden afgelegd of waarin de dromer een adembenemende groei van het zelf ervaart tot het zijn beperkte individualiteit overstijgt. Kosmische eigenschappen kunnen ook in onze dromen opduiken als astrologische en alchemisti-

sche symbolen of als ervaringen van de dood en de wedergeboorte.

Veel archetypische dromen gaan over magische reizen of zoektochten. Zulke zoektochten symboliseren een reis naar het onbewuste, waarbij de dromer probeert fragmentarische stukjes van zijn psyche terug te vinden, om een psychisch vertrouwen en eenheid te bereiken die hem onderscheiden van het collectief. Andere archetypische reizen, bijvoorbeeld een zeereis naar de opkomende zon, kunnen duiden op wedergeboorte en transformatie.

Een archetype met een diepere goddelijke betekenis is de Geest, het tegenovergestelde van de materie, soms gemanifesteerd in dromen als een impressie van oneindigheid, weidsheid en onzichtbaarheid. De Geest kan ook als geestesverschijning of als bezoeker vanuit het dodenrijk opdoemen en zijn aanwezigheid is vaak een teken van spanning tussen de stoffelijke en niet-stoffelijke wereld.

ZEVEN ARCHETYPEN

DE WIJZE OUDE MAN

De Wijze Oude Man (of Vrouw) is wat Jung een *mana*-persoonlijkheid noemde, het symbool voor de oerbron van groei en vitaliteit, die kan helen, vernietigen, aanvallen of afweren. In de droom verschijnt dit archetype in de vorm van een tovenaar, dokter, priester, leraar, vader of andere autoritaire persoon, die ons door zijn aanwezigheid leert dat hogere bewustzijnsniveaus binnen ons bereik liggen. De *mana*-persoonlijkheid is echter schijngoddelijk, omdat ze ons naar het hogere niveau kan leiden, of juist ervan af.

DE BEDRIEGER

De Bedrieger is de archetypische antiheld. Hij vertoont zich in de droom als clown of komiek, die zichzelf bespot en tegelijkertijd het uiterlijk vertoon van het ego en zijn archetypische projectie, de Persona, belachelijk maakt. Hij is de sinistere figuur die onze spelletjes verstoort, onze listen verraadt en ons plezier in dromen verpest. De Bedrieger komt meestal opdagen als het ego door eigen toedoen, namelijk door ijdelheid, te hooggespannen ambitie of misrekening in een gevaarlijke situatie is beland. Hij is ongetemd, amoreel en anarchistisch.

De Persona

De Persona is de manier waarop we ons overdag aan de buitenwereld presenteren. Op zich is de Persona nuttig, maar ze wordt gevaarlijk als we ons te sterk met haar identificeren, haar met ons werkelijke zelf verwarren. Dit archetype kan in de droom als een vogelverschrikker, een zwerver, een woest landschap of een maatschappelijk uitgestotene verschijnen. Naaktheid in dromen vertegenwoordigt meestal een verlies van de Persona.

De Schaduw

Jung definieert de Schaduw als "het ding dat we niet willen zijn". Hij beschreef de Schaduw als de primitieve, instinctieve

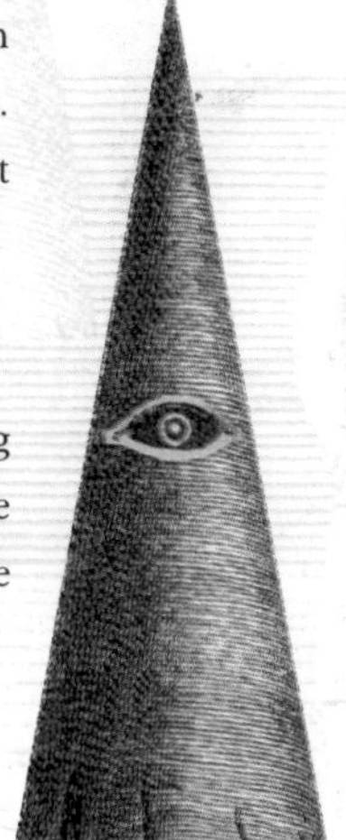

kant van onszelf. Hoe meer we deze kant onderdrukken en isoleren van ons bewustzijn, hoe groter de kans dat de Schaduw zorgt voor "een onverwachte uitbarsting in een moment van onoplettendheid".

Verborgen onder een maatschappelijk laagje vernis openbaart de Schaduw zich in egoïstische, wrede en vaak harteloze acties van individuen, samenlevingen en naties. De Schaduw heeft in de droom

vaak hetzelfde geslacht als de dromer en speelt meestal een dreigende, nachtmerrieachtige rol. Omdat de Schaduw nooit helemaal weggevaagd kan worden, is hij vaak een onaantastbaar figuur die ons opjaagt naar de donkere krochten van onze geest. Toch kan de Schaduw ook de vorm van broer of zus aannemen, of van de onbekende die ons met ongewenste zaken confronteert.

Omdat de Schaduw obsessief, autonoom en bezitterig is, doemt hij in onze angst, kwaadheid of morele verontwaardiging op. Zijn verschijning in dromen duidt op een behoefte aan een sterker bewust besef van zijn bestaan en aan een serieuze morele poging om zijn duistere energieën onder ogen te zien, die anders de bewuste geest overstemmen. We moeten de Schaduw leren accepteren en integreren, omdat zijn boodschappen meestal onszelf ten goede komen.

HET GODDELIJKE KIND

Het Goddelijke Kind is het archetype van de regeneratieve kracht die ons naar individuatie leidt: "weer te worden als een klein kind". Het is het symbool van de waarheid zelf, van de totaliteit van ons wezen, in tegenstelling tot het begrensde en begrenzende ego. In dromen verschijnt het goddelijke kind meestal als een baby of een kind. Het is onschuldig, kwetsbaar en ongeschonden en beschikt over een enorme groeikracht. Contact met het kind

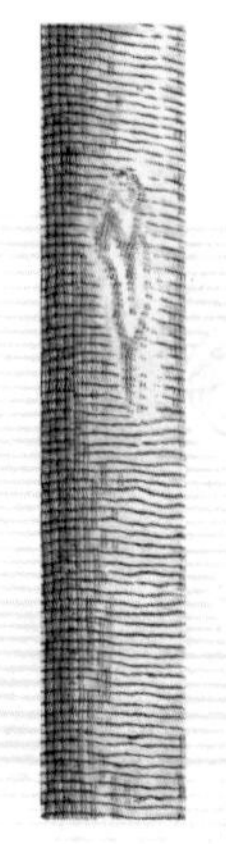

kan ons van persoonlijke arrogantie ontdoen en ons duidelijk maken hoe ver we zijn afgedwaald van wat we eens waren en wilden bereiken.

De Anima en Animus

Jung meende dat in ieder mens het totale menselijk potentieel, al het mannelijke en vrouwelijke, aanwezig is. De Anima vertegenwoordigt 'vrouwelijke' kenmerken in de man, zoals stemmingen, reacties en impulsen, de Animus 'mannelijke' eigenschappen in de vrouw, zoals verplichtingen, principes en inspiratie. Belangrijker dan ons 'niet-ik-gevoel' is dat de Anima en Animus als *psychopompi*, of zielengidsen, dienstdoen; zij begeleiden ons naar ons onbekend innerlijk potentieel.

De mythologie beeldt de Anima uit als een jonge godin of een uitzonderlijk mooie vrouw, zoals Athena, terwijl de Animus gesymboliseerd wordt door edele goden of helden, zoals Hermes. Als de Anima of Animus in onze dromen verschijnen in deze verheerlijkte gedaanten,

of als andere indrukwekkende representaties van man of vrouw, betekent dit dat we de mannelijke en vrouwelijke elementen in ons moeten integreren. Als we deze archetypen negeren, projecteren we ze buiten onszelf op een geïdealiseerde minnaar of op partners of vrienden. Als we toestaan dat deze archetypen ons onbewuste leven beheersen, kunnen mannen te sentimenteel en te emotioneel worden en kunnen vrouwen zich meedogenloos en obstinaat gedragen.

De Grote Moeder

Het beeld van de Grote Moeder speelt een belangrijke rol in onze psychische en spirituele ontwikkeling. Haar invloed wordt niet alleen ontleend aan onze persoonlijke ervaringen tijdens de kinderjaren, maar ook aan het archetype dat enerzijds vruchtbaarheid en groei koestert, maar anderzijds alles domineert, verslindt, verleidt en in bezit neemt.

Niet alleen is de energie van de Grote Moeder goddelijk, etherisch en maagdelijk, ze is ook chtonisch ('uit de onderwereld') en aards: moeder aarde werd aanbeden als de brenger van de oogsten. De Grote Moeder is het archetype van vrouwelijke mysterie en verschijnt diverse gedaanten: van koningin van de hemel tot heks in mythen en sprookjes.

Volgens Freud echter was de symbolische droommoeder de representatie van de verhouding van de dromer met zijn of haar eigen moeder. Freud zag dat de meeste dromen te maken hebben met de dromer, een man of vrouw. Hij geloofde dat de droomvrouw en droomman meestal de ouders van de dromer vertegenwoordigen en beweerde dat ze aspecten van het Oedipus en Electra-complex bevatten, waaraan respectievelijk mannen en vrouwen kunnen lijden. (In de Griekse mythe symboliseert Oedipus het vroege mannelijke seksuele verlangen naar de moeder en de jaloezie voor de vader. Electra vertegenwoordigt het vroege vrouwelijke verlangen naar de vader en de jaloezie voor de moeder.)

Casus III

De dromer is professor aan de universiteit. Hij twijfelt of hij zijn academische reputatie hoog moet houden of deze moet riskeren door openlijk zijn interesse in mystiek en spirituele groei te tonen.

De droom: "Nadat ik in zee had gezwommen, nam ik een douche op het strand. Het water liep over mijn rug, maar voordat ik de voorkant van mijn lichaam kon afspoelen, stond ik plotseling in een zitkamer waar het water van me afdroop op het tapijt. Er zaten een paar middelbare vrouwen die afkeurend naar me keken en een veel jongere vrouw met een mandoline.

Zij zei: 'Maak je geen zorgen, de muziek kan je drogen, altijd.' Toen zweefde ik naar het dak. Het was nacht, ik strekte mijn arm uit en even hield ik een ster in mijn hand. Een stem zei: 'Berg hem in je

hart.' Terwijl ik probeerde te bedenken hoe ik dat moest doen, werd ik wakker."

De interpretatie: zwemmen in zee wijst op de wens van de dromer dieper in zijn archetypische onbewuste door te dringen. Vervolgens probeert hij het zoute water af te spoelen: hij wil het inzicht dat hij heeft verkregen 'zuiveren'.

De verplaatsing naar de zitkamer betekent dat hij niet zichzelf kan zijn in een gekunstelde omgeving, vooral niet onder de afkeurende blik van zijn collega's (de vrouwen van middelbare leeftijd). De jonge vrouw is het archetype Anima, dat hem vertelt dat zijn creatieve energie de wijsheden van het onbewuste naar het rijk van het spirituele kan brengen.

De sterren zijn de hogere staten van bewustzijn. Maar bij het ontwaken begrijpt de dromer nog steeds niet hoe hij een ster 'in zijn hart' kan bergen om zo zijn hogere zelf volledig in zijn bewuste leven te integreren.

Droomsymbolen

Droomsymbolen

Als we 's ochtends wakker worden, is het vaak het bizarre karakter van onze droomherinneringen waardoor we ze onbelangrijk vinden. Maar nu we droomsymbolen leren te interpreteren, opent zich een nieuwe dimensie van begrip.

Symbolen zijn de 'woorden' die droomtaal gebruikt, elk symbool duidt op iets uit het onbewuste van de dromer.

Dromen vertegenwoordigen wel altijd de persoonlijke taal tussen het onbewuste en de bewuste geest. Hoewel we de typische betekenissen van veel droomsymbolen kunnen leren, kunnen we er nooit zeker van zijn dat we ze goed begrepen hebben, tot we ze hebben uitgewerkt in het licht van onze eigen, unieke ervaringen. Het meest triviale symbool kan zich als een bijzonder sterke herinnering of een treffend advies openbaren.

Doorgaans komen tijdens dromen van niveau 1 en 2, die zich respectievelijk in het voorbewustzijn en het persoonlijk onbewuste afspelen (zie blz. 41-42), vooral symbolen voor die voor de dromer speciale associaties met zich meebrengen, of die voortkomen uit het dagelijks leven.

Een niveau 1- of 2-symbool kan voor een bepaald persoon een specifieke emotionele lading bevatten. Zo kan woede voor de ene dromer gesymboliseerd worden door een boer, omdat een boer hem ooit bedreigde bij het betreden van zijn land, terwijl voor een andere dromer woede in de vorm van een puzzel kan voorkomen, die hem ooit het toppunt van frustratie bezorgde.

Niveau 1- en 2-symbolen kunnen ook uit relatief onbelangrijke zaken van het leven gehaald worden, bijvoorbeeld uit tv-programma's. De droom plundert de herinnering van de dromer door motieven te kiezen die gemakkelijk voor zijn doel geschikt zijn.

Symbolen van niveau 3 hebben meestal een veel universelere betekenis. Niet alleen zijn de archetypen (zie blz. 65-77) voor ons allemaal gelijk,

maar ook de kenmerkende vorm waarin ze in het bewustzijn naar boven komen. Niveau 3-dromen zijn lastig doordat ze weerzin in ons moderne, westerse bewustzijn oproepen tegen de vaststelling dat dromen ons helpen een reservoir van levenswijsheden aan te spreken, die buiten het bereik van onze wakende toestand ligt.

Freud en Jung verschilden van mening over de betekenis van een symbool. Freud kende droombeelden een vaste betekenis toe. Voor hem vertegenwoordigden torens bijvoorbeeld seksuele objecten, ongeacht hun functie in de droom. Jung vond dat Freud droombeelden zo als tekens beschouwde en niet als symbool. Jung beweerde dat "het wezen van een symbool gevormd wordt door het onbewuste, daarom wordt het wel gevoeld, maar is het bewustzijn niet in staat is de betekenis ervan te pakken." Een teken is echter een vaste interpretatie van een droombeeld en daarom beperkt tot een betekenis die men zich al bewust is. Wanneer we een droom als een teken beschouwen, ontzeggen we onszelf niet alleen de toegang tot zijn diepere betekenis, maar onderdrukken we de betekenis verder en vergroten we zo de kloof tussen het bewuste en het onbewuste.

In Freuds visie was de penis een fallisch symbool; voor Jung was de penis "het scheppende *mana,* de kracht van genezing en vruchtbaarheid". De meeste psychologen en antropologen die zich in symbolen hebben verdiept geven de voorkeur aan de benadering van Jung.

Een symbool kan meerdere betekenissen hebben. In de psychoanalyse kan het beeld van een geweer voor dezelfde dromer donder en bliksem vertegenwoordigen, maar ook voortplanting, vernietiging of speelgoed. Deze betekenissen laten zien dat kracht respectievelijk gebruikt kan worden om te vernietigen, om goed of om kwaad te doen, of om de kinderlijke drang anderen te intimideren te versterken.

PERLS OVER DROMEN

De Amerikaanse psychiater Fritz Perls (1893-1970) is vooral bekend als grondlegger van de Gestalttherapie. Deze therapie legt zich toe op de manier waarop een individu omgaat met de feiten, meningen en gedragingen die zijn leven bepalen.

Net als Jung en Freud beklemtoonde Perls de symbolische inhoud van dromen, maar hij geloofde ook dat elk karakter en object in onze dromen een projectie van onszelf is. In de visie van Perls vertegenwoordigen dromen onverwerkte emoties en stamt de symbolische inhoud uit de persoonlijke ervaring van de dromer.

Perls meende dat rollenspel een doeltreffender en nauwkeuriger techniek voor interpretatie is dan associatie. Hij vroeg de dromer elk droombeeld beurtelings uit te beelden, en zelfs aandacht te schenken aan levenloze droombeelden, soms door de positie van de objecten in de droom aan te nemen om zo de versluierde boodschap te onthullen. Dit rollenspel plaatst interpretatie helemaal in handen van de dromer. De therapeut mag suggesties doen, maar de betekenis mag nooit van buitenaf opgelegd worden.

Ook Jung en Freud benadrukken dat droombeelden aspecten van de dromer zelf bevatten en dat rollenspel een nuttige aanvulling kan zijn bij directe of vrije associatie. De methoden van Perls zijn waardevol bij het werken met dromen van niveau 1 en 2. Het gevaar bestaat echter dat de gemeenschappelijke betekenis van de droomsymbolen ondergewaardeerd wordt en in het bijzonder de rol van het collectief onbewuste.

Boss over dromen

De Zwitserse psychiater Medard Boss (1903-1990) legde een verband tussen dromen en het existentialisme. De existentiële theorie betoogt dat elk individu bewust en onbewust kiest wie hij of zij wenst te zijn. Dit betekent dat Boss dromen niet als een diepliggende symbolische taal zag, maar als zuivere aspecten van een existentiële keuze.

In zijn praktijk liet Boss zien dat dromen psychische hulp kunnen geven zonder dat de symbolen worden geïnterpreteerd. In plaats van associatie ontwikkelde hij een interpretatieve methode waarmee de betekenis van dromen van niveau 1 en 2 duidelijk wordt.

In een droomexperiment hypnotiseerde Boss vijf vrouwen, waarvan er drie gezond en twee neurotisch waren, en hij suggereerde dat ieder van hen droomde van een naakte, seksu-

eel opgewonden man, die verliefd op haar was en avances maakte met een seksuele bedoeling.

De drie gezonde vrouwen volgden het aangeboden scenario exact, de dromen van de twee neurotische vrouwen waren angstig. Bij een van hen was de naakte man vervangen door een geüniformeerde soldaat met geweer, waarmee hij haar bijna neerschoot. Boss wees erop dat er niets symbolisch in de eerste drie dromen was. Het waren gewoon uitingen van bewuste verlangens van de dromer. En zelfs de droom van de soldaat weerspiegelde eenvoudigweg de angst van de vrouw voor mannen.

Jungianen en freudianen menen dat door associatie elementen uit het onbewuste van de dromer naar boven komen die inzicht in de oorzaak van de neurose kunnen geven.

Boss over dromen

De innerlijke taal

Voor Freud en Jung vonden de meeste wetenschappers dat dromen niets anders waren dan een warboel onbeduidende beelden, resterend uit de vele zintuiglijke ervaringen van overdag. Geïnspireerd door Freuds aanname dat dromen op een eigen manier een betekenis bevatten, hebben psychologen van de 20e eeuw talrijke theorieën opgesteld om de logica van de droom uit te leggen.

De vaak verbijsterende aard van deze logica weerspiegelt de oorsprong van de droom. De droom kan een reactie zijn op gebeurtenissen van overdag of van binnenuit ontstaan en diepgewortelde zorgen en gevoelens tot uiting brengen. De droom kan een middel zijn om wensen in vervulling te laten gaan of warrige emoties van overdag te benadrukken. Het is vaak raadselachtig hoe de taal van de droom de tijd kan vervormen en het be-

kende met het onbekende kan mengen door zijn eigen psychische 'magie'. In de droomwereld loopt de ene scène over in de andere, kunnen levenloze voorwerpen uit zichzelf bewegen en praten en zelfs een dreiging vormen. De verschillende betekenissen die een droom kan bevatten, moeten uit deze complexe en tegennatuurlijke gebeurtenissen ontward worden.

De volgende bladzijden zijn een 'reisgids' voor de belangrijkste aspecten van de droomwereld: van een uitleg van de logica van de droom tot aan de betoverende landschappen die zo typerend zijn voor de dromen en nachtmerries van kinderen.

Droomlogica

Voordat de revolutie in de droomtheorie teweeg werd gebracht door Jung en Freud, deelden de meeste filosofen de mening van de 19e-eeuwse Duitse fysicus Theodor Fechner. Deze meende dat in de droom "de psychische activiteit van de hersenen van een normaal denkend mens overging in die van een gek". Wat de filosofen stoorde, was niet alleen de klinkklare onzin wat betreft de inhoud van de droombeelden zelf, maar de kennelijke afwezigheid van redelijk denken en van de hogere mentale functies die droombeelden verbinden.

Freud concludeerde echter dat de samenhang aangetoond kan worden met andere middelen dan woorden, zoals ook het geval is in de kunst. Hij geloofde dat "de absurditeit van dromen niet toevallig is en zelfs kan worden geveinsd, zoals 'de Deense prins' deed (Hamlet)." Terwijl de samenhang in een droom niet de rationele logica van taal en filosofie volgt, gaat hij

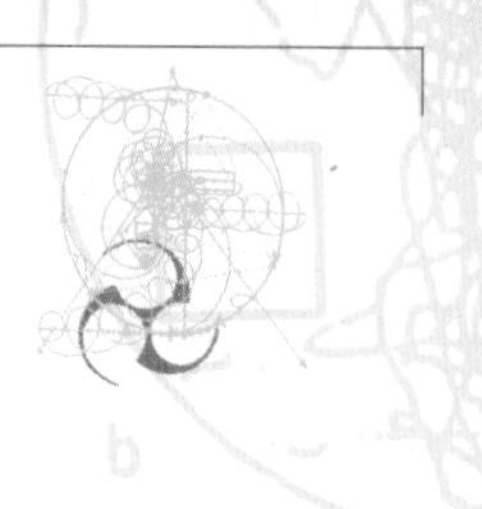

meer indirect te werk om doelbewust de betekenis van de droom te verbloemen.

Klinisch onderzoek maakte Freud duidelijk dat droombeelden onderling verbonden zijn op vier verschillende ma-

nieren. De eerste is de *simultaniteit*, als droombeelden of gebeurtenissen in de droom samenvallen. De tweede de *contiguïteit,* als de droombeelden en gebeurtenissen in een reeks voorkomen. Ten

derde de *transformatie,* wanneer het ene beeld oplost in het andere. En tot slot de *gelijkenis*, die tot uiting komt door associatie wanneer een voorwerp gelijkenis vertoont met, herinnert aan of gevoelens oproept van een ander voorwerp. Freud beschouwde *gelijkenis* als de meest voorkomende en belangrijkste schakel. Veel van deze associaties zijn we vergeten of worden in ons bewustzijn onderdrukt, wat het moeilijker maakt de schakels te onderscheiden, maar ze kunnen duidelijk worden door middel van een gepaste interpretatietechniek. Bij het ontwarren ervan legt de psychoanalyticus niet alleen de werking van de droomlogica uit, maar ook het diepere vernuft ervan.

Droomonderzoekers hebben sinds Freud een *interne samenhang* ontdekt die een sleutelrol in de droomlogica speelt. Analyses van dromen van niveau 1 en 2 (voortkomend uit het voorbewustzijn en het persoonlijk onbewuste) tonen aan dat elke dromer zijn eigen manier heeft om deze samenhang tot uiting te brengen.

De meest algemene vorm waarin samenhang voorkomt, door de droomonderzoekers Calvin Hall en Vernon Nordby *relatieve consistentie* genoemd, ligt in de frequentie waarmee diverse droombeelden verschijnen aan individuele dromers in een bepaalde periode. Zo kunnen meubels, lichaamsdelen, auto's en katten in een aflopende frequentie voorkomen, terwijl bij iemand anders vrouwen veel vaker dan mannen voorkomen en de omgeving van de droom zich meer buiten dan binnen kan afspelen. Er werd aangetoond dat de frequentiepatronen van de droombeelden gedurende een jaar opmerkelijk stabiel bleven.

Droomlogica

Een andere belangrijke vorm van interne samenhang in dromen is *symbolische consistentie*. Wanneer we symbolen gebruiken, selecteert de droom ze alleen op basis van hun associaties met de aspecten die tot uiting moeten komen en wordt de sterkste telkens weer herhaald om de boodschap duidelijk door te geven.

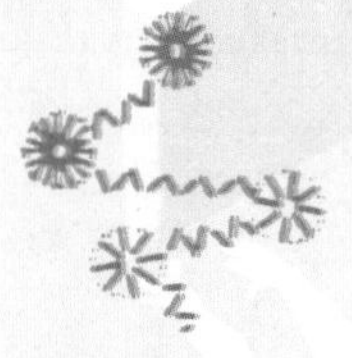

DROOMOMGEVING

Dromen spelen zich meestal af in een bekende omgeving van de dromer, ze weerspiegelen zijn directe interesses en herinneringen en zijn doordrenkt van de echo's van zijn sociale en culturele achtergrond. Onderzoek heeft aangetoond dat het huis de meest algemene setting is. Toch kan, zoals we zagen, in Jungs droom die hem mede inspireerde tot zijn theorie van het collectief onbewuste, de droom die zich in een schijnbaar alledaagse omgeving afspeelt een opmerkelijke hoeveelheid symbolische informatie in zich dragen.

Het huis in Jungs droom vertegenwoordigde zijn eigen psyche. De vele verdiepingen leidden hem steeds dieper in zijn onbewuste tot hij bij de 'primitieve mens' belandde die de kelder bewoonde. Jung moedigde zijn aanhangers aan de omgeving waarin de droom zich afspeelde, steeds verder te onderzoeken om de symbolische betekenis ervan te onthullen.

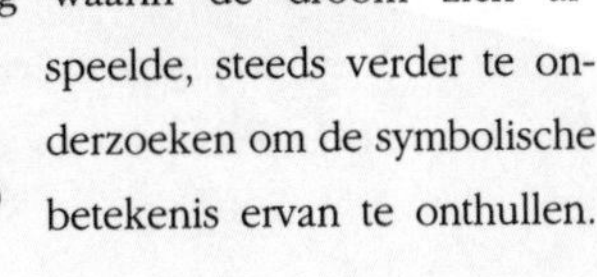

Een huis kan bijvoorbeeld het lichaam van de dromer symboliseren of zijn geest, het lichaam van zijn moeder en zelfs de familie of het 'huis' van zijn vader. Over het algemeen geldt dat naarmate de dromer creatiever en fantasierijker is, er meerdere lagen met betekenissen zullen opduiken, en dat de omgeving van de droom gevarieerd, kleurrijk en opvallend zal zijn.

Veel kunstenaars hebben zich laten inspireren door de droomomgeving. Schilders als de Italiaanse surrealist Giorgio de Chirico (1888-1978) en de Belgische surrealist Paul Delvaux (1897-1994) zijn meesters in het vastleggen van de sfeer van de droom. Het is de nevenschikking van het gewone met het buitengewone die zij in hun schilderijen vangen en die de droomomgeving zo speciaal of ijzingwekkend maakt.

Net als de meer op de voorgrond tredende elementen in een droom, kan een onderdeel van de droomomgeving plotseling uit zichzelf veranderen. Een tapijt kan veranderen in een moeras, een verre boerderij in een slachthuis. Het zijn deze wendingen in de nachtmerrie die de geest doen opschrikken en het normale denkpatroon verstoren zodat diepe emoties en angsten aan de oppervlakte komen.

Droomlandschappen worden vaak intens ervaren. Een landschap kan een kwelling van eenzaamheid zijn of een mysterieus gevoel van welbevinden geven. Als het landschap zachte contouren heeft en sterke emoties losmaakt, symboliseert het mogelijk het menselijk lichaam, en in het bijzonder dat van de moeder. Droomomgevingen kunnen ook de topografie van de geest zelf vertegenwoordigen: een onbekende buurt in een stad kan symbool staan voor het onbewustzijn. Nachtelijke scènes kunnen de duistere krochten van ons innerlijk voorstellen.

Het is belangrijk tijdens de interpretatie elk detail van het droomlandschap te onthouden om de volledige betekenis van de droom aan het licht te doen komen. Als de droom zich in een tuin afspeelt, is die dan stijf of losjes van ontwerp, goed onderhouden of overwoekerd? Als er een weg is, maakt deze dan een bocht en komt hij weer op zichzelf uit, of is het een lange, rechte weg die gemakkelijk naar huis leidt?

Zelfs de aspecten van de omgeving die alleen maar achtergrond lijken, kunnen van belang zijn als ze geanalyseerd worden door technieken van bijvoorbeeld Fritz Perlz, waarbij elk herinnerd aspect van de droom door de dromer uitgebeeld wordt (zie blz. 84-85).

Omdat elk element in de omgeving ook een andere persoon of een andere kant van de persoonlijkheid van de dromer kan vertegenwoordigen, is het belangrijk om, voor zover mogelijk, de relatie van elk element tot de dromer vast te stellen. Is de omgeving van de dromer zelf of roept ze associaties op met iemand uit zijn kennissenkring?

Hoe beter we opletten in de droom, hoe levendiger de droomomgeving zal worden en hoe sterker het droombewustzijn.

Casus IV

De dromer is verkoopleider. Hij heeft altijd romanschrijver willen worden maar schrijft nu misleidend maar effectief publiciteitsmateriaal.

Casus IV

De droom: "Ik was bij een kapper en wachtte op mijn beurt. De salon was klein en donker en tamelijk verwaarloosd. Er waren twee mannen voor me, ze zaten rechts van me met hun neus in de krant, maar de kapper riep mij eerst. Het leek erop dat hij me kende en dat ik eerder bij hem was geweest.

Ik was hierdoor tamelijk van mijn stuk gebracht en dacht dat hij bij mij in het gevlij wilde komen. Toen ik naar de stoel liep, merkte ik dat ik alleen in de salon was. De spiegel voor me was zo oud dat ik mezelf niet kon zien. Toen was ik buiten en ik keek in de etalages van een paar winkels. Ik denk dat ik een schaar probeerde te vinden om mijn eigen haar te knippen, maar het lukte niet."

De interpratie: de dromer associeerde zijn droomuitje naar de kapper met een ongepaste ijdelheid, en het onderdanige gedrag van de kapper met de manier waarop andere mensen overdadig gul zijn met lof en aandacht, een situatie die hem duidelijk aan zijn werk deed denken.

De aanwezigheid van de mannen die voor hem aan de beurt waren, duidt op diepere, nog onuitgesproken latente aspecten van zijn persoon, zoals zijn talent als schrijver waaraan hij liever de prioriteit had gegeven.

De spiegel waarin de dromer zijn gezicht niet kon zien, was een herinnering aan de leugenachtige omgeving van zijn werk. Zijn gezoek in de etalages wees erop dat hij probeerde zijn behoeften te bevredigen door kansen buiten zichzelf te zoeken.

CASUS V

De dromer is een vrouw van achter in de twintig. Zij bekleedt een verantwoordelijke en interessante positie bij een onroerendgoed- en makelaarskantoor in een grote stad.

Casus V

De droom: "De droom is er een uit een reeks, waarin ik ben omgeven door oude en gebroken objecten of nieuwe gadgets die, hoe ik ook probeer, weigeren te werken.

In deze droom stond ik boven aan een lange trap. De trap leek naar beneden te leiden, naar een achtertuin vol puin en oud ijzer, maar de trap zelf was breed en groot, zoals in een tuin van een kasteel.

Ik kon een man zien, hij werkte op de schroothoop aan een oude auto. Ik vroeg hem wat er mis was. Hij zei dat de auto het nu deed omdat hij hem had gemaakt."

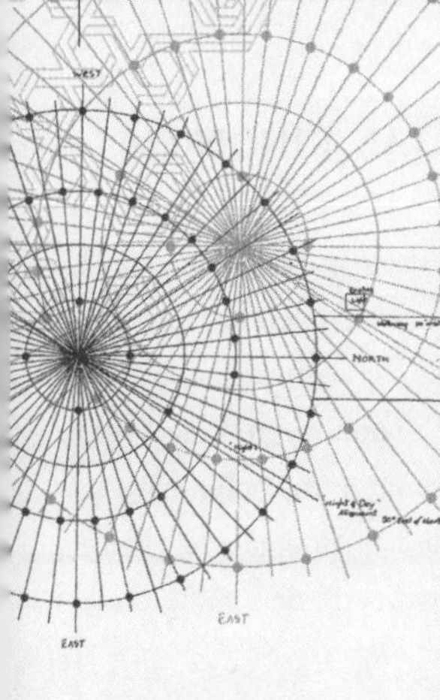

De interpretatie: de trap naar beneden vertegenwoordigt de weg naar het persoonlijk onbewuste. De trap in deze droom leidt naar de gebroken en afgedankte troep van oude herinneringen en nutteloze voorwerpen. De werkende man tussen de rommel in de achtertuin duidt op het proces van psychische genezing en creatieve activiteit, dat gewoon in het onbewuste doorgaat, ook al zijn we er ons meestal niet bewust van. Wat er misschien als psychische nonsens uitziet, kan van grote waarde blijken te zijn mits we het maar op de juiste manier benaderen.

Hij zegt haar dat hij de oude auto heeft 'opgeknapt' wat duidt op reizen, ergens te komen, in dit geval misschien symbolisch voor een mislukt plan of mislukte ambitie in het vroegere leven van de dromer.

De dromer denkt dat de droom haar wil zeggen dat ze met meer vertrouwen en moed de wereld van het onbewuste moet betreden. Als ze dat doet, zal haar innerlijk leven helderder worden.

Dromen van kinderen

We zijn geboren dromers. Misschien kunnen we zelfs al in de baarmoeder dromen, maar zeker is dat we veel van onze kindertijd dromend doorbrengen. Ongeveer 60% van de slaap van pasgeboren baby's wordt in de remslaap doorgebracht (zie blz. 23), de slaap waarin de meeste dromen verschijnen.

Hoewel het onmogelijk is precies de inhoud van de dromen van baby's te leren kennen, is het waarschijnlijk dat een groot deel van hun droominhoud opgewekt wordt door fysieke gewaarwordingen. De eerste maand na de geboorte spelen visuele en auditieve impressies een rol. Als kinderen oud genoeg zijn om hun droom onder woorden te bren-

gen, blijkt de inhoud voornamelijk een weerspiegeling van hun interesses en emoties te zijn.

Robert van de Castle en Donna Kramer van de universiteit van Virginia analyseerden honderden dromen van kinderen tussen de twee en twaalf jaar en kwamen tot de ontdekking dat de dromen van jonge meisjes langer duurden dan die van jongens, dat daar meer mensen in voorkwamen en dat er meer aandacht voor kleding was, terwijl jongens meer over werktuigen en voorwerpen droomden. Dieren nemen een belangrijke plaats in in dromen van kinderen en de hoeveelheid enge beesten als leeuwen, alligators en wolven is aanzienlijk groter dan 'niet-enge' dieren. De frequentie van deze beelden zou een afspiegeling zijn van de basisbelangstelling van kinderen voor dieren en de manier waarop dieren hun wensen en angsten symboliseren.

Kinderen blijken ongeveer twee keer zo vaak met agressieve handelingen in

hun droom maken te hebben als volwassenen. Soms is het kind de agressor, maar meestal het slachtoffer. Angst is dan ook de meest voorkomende emotie in hun droom.

Robert Kegan, een Amerikaanse ontwikkelingspsycholoog, meent dat agressieve daden duiden op problemen die jonge kinderen hebben om hun sterke, spontane impulsen te integreren in de sociale orde en controle die de volwassen van hen eisen. De wilde beesten, monsters en boemannen in de kinderdroom blijken symbolisch te zijn voor hun innerlijk besef dat dergelijke impulsen net onder de oppervlakte van hun bewuste gedrag op de loer liggen en los kunnen breken wanneer de zelfcontrole zich ontspant.

Volgens de psychoanalytische theorie kunnen boemannen in kinderdromen behalve kenmerkende aspecten van de dromer zelf, ook ouders en andere invloedrijke volwassenen symboliseren. Een jong kind vindt het moeilijk om

de liefdevolle, verzorgende aspecten van vader en moeder in overeenstemming te brengen met hun rol als bewaker van discipline en respect.

Heksen en wolven zijn manieren om de bestraffende rol van de ouders uit te beelden, terwijl de eigen agressie van het kind tegen de ouderlijke symbolen in dromen de wens kan symboliseren verlost te worden van de overheersende macht die volwassenen uitoefenen.

Freud meende dat het relatieve gebrek aan seksuele verlangens bij kinderen de aard van hun wensvervulling vereenvoudigt, waarmee het verlangen naar eten om in leven te blijven vrij baan krijgt. De jungiaanse psychologen herkennen in de boeman, held of heldin archetypische beelden die al in het onbewuste van het kind werkzaam zijn, en die het mystieke gevoel van het kind voor zijn eigen innerlijke wezen symboliseren.

CASUS VI

Na een schoolbezoek aan een wetenschapsmuseum droomt een achtjarig meisje dat ze problemen heeft met haar onderwijzeres. De onderwijzeres beweert dat het meisje het uitstapje niet leuk vond.

De droom: "Er stond een grote vrachtauto met een soort ketel bij school en mijn onderwijzeres zei dat ze dacht dat hij zou exploderen. Er stapte een man uit de vrachtauto, en hij liep naar mij toe. Ik was bang en rende weg. Toen zat ik opeens in de auto met papa en we reden weg van deze man, en papa reed door een rood stop-

licht. Toen iemand zei dat het ding ontploft was, zei papa dat we terug moesten naar de school om te zien wat er was gebeurd. Maar dat wilde ik niet."

De interpretatie: de dreigende explosie buiten de school is een duidelijke associatie met de onderwijzeres en een symbool voor wat het kind ervaart als de onderwijzeres onvoorspelbare uitbarstingen of woedeaanvallen heeft. De enge man staat voor de angst van het kind voor haar onderwijzeres. Het meisje vertrouwt op haar vader om te kunnen vluchten, maar ze weet dat hij alleen kan helpen als hij de regels van de volwassen wereld doorbreekt: hij rijdt dan ook door het rode licht. Zodra hij van de kwaadheid van de onderwijzeres hoort (de explosie), besluit hij toch dat ze terug naar school moeten. Hoewel ze dat niet wil, beseft het meisje dat ze de vaak onvoorspelbare, beangstigende aspecten van de volwassen wereld zal moeten leren accepteren.

CASUS VII

De dromer is een atlete, haar daadkracht op de baan is alom bekend, maar haar relaties en sociale leven zijn altijd getroebleerd en onbevredigend.

Casus VII

De droom: "Het was zomer en ik stond op een open weg die zich uitstrekte tot aan de horizon. In de verte zag ik mensen naderbij komen en ik besefte plotseling dat, hoewel ze renden, ze angstwekkend traag bewogen. Ik stond als aan de grond genageld en alles werd ijskoud. Toen zat ik opeens op de rug van een paard, maar het dier bleef gewoon gras eten en weigerde te bewegen. Toen was ik plotseling weer van het paard af en rende ik iemand achterna, vast van plan hem te grijpen en hem een lesje te leren, omdat hij me deze nachtmerries bezorgt. De figuur rende een kamer in aan het einde van een gang en ik dacht 'nou heb ik je', maar toen ik de kamer in rende, sloeg de deur achter me

dicht en zat ik opgesloten. De gedaante draaide zijn afschuwelijke gezicht naar me toe en slaakte een triomfantelijke kreet."

De interpretatie: Als atlete kan de dromer haar problemen meestal wel 'oplossen' door harder te rennen dan haar rivalen. In haar angstdroom is er echter geen oplossing mogelijk, zelfs niet als de dreigende 'figuur' langzaam beweegt. Ze interpreteert deze situatie als een symbool voor haar gevoelens van onmacht wanneer ze met andere mensen te maken heeft, een machteloosheid waarvan ze de oorzaak moeilijk kan vaststellen.

Het paard is het symbool van de natuurlijke kracht van haar emoties, die haar niet kan leiden over de uitgestrekte, open weg naar een stabiele relatie.

Ze interpreteerde de slotscène, waarin ze gevangen zit in een afgesloten kamer en oog in oog staat met de doodenge demon van haar eigen angst, als volgt: "Ik loop mijn eigen moeilijkheden tegemoet; ik ben zelf mijn ergste vijand."

DROOM-WOORDENBOEK

Een droom is een gesprek met onszelf in een symbolische taal, waarin boodschappen tussen de onbewuste en bewuste geest worden verzonden. We zijn de schrijvers en acteurs van onze eigen dromen en we kunnen er zelf het beste betekenis aangeven.

In de dromen van niveau 1 en 2 (zie blz. 42, 57-58) die uit het persoonlijk onbewuste voortkomen, communiceert de dromende geest met symbolen die voor de dromer bepaalde associaties bevatten en die meestal afkomstig zijn uit recente gebeurtenissen van overdag. Dit woordenboek is bedoeld om de interpretatie van dromen te stimuleren, zodat we de rijkdom aan droomfantasie kunnen begrijpen.

De dromen van niveau 3, voortkomend uit het collectief onbewuste (zie blz. 57), betrekken hun asso-

ciaties uit een groter reservoir archetypes (zie blz. 65-77). Jung maakte gebruik van de amplificatiemethode (zie blz. 58) om de betekenissen aan de verbeelding te ontlokken.

Het eerste deel van dit woordenboek bestaat uit een verzameling van droomthema's. In het tweede deel wordt dieper ingegaan op gemeenschappelijke droomfenomenen en worden mogelijke verklaringen gegeven.

DEEL I: THEMA'S

VERANDERING EN TRANSFORMATIE

Onze bewuste geest heeft vaak geen notie van de psychische en emotionele omwentelingen in ons leven; ons onbewuste wel. Als we in ons onbewuste zenuwachtig en onzeker zijn voor een komende verandering, kunnen

TRANSFORMATIE
De overgang van herfst naar winter of van voorjaar naar zomer kan wijzen op een diepliggende innerlijke transformatie bij de dromer. Een brug symboliseert verandering, door de grens tussen verleden en toekomst te overbruggen en door op mogelijke kansen aan de overzijde te wijzen.

Verandering en transformatie

in dromen geruststellende beelden van onze vroegere manier van leven en vertrouwde omgeving voorkomen. De dromende geest kan ook zijn bezorgdheid voor een bepaalde overgang uiten in een buitengewoon eigenaardig gevoel.

Vaker geven dromen ons advies over de wenselijkheid en de onvermijdelijkheid van de verandering. De droom kan ons wijzen welke richting we kunnen ins-

VOORWERPEN KOMEN TOT LEVEN
Als in een droom een levenloos voorwerp tot leven komt, is een innerlijk potentieel mogelijk rijp voor ontwikkeling.

ONBEKENDE OMGEVING
Als een onbekende omgeving de dromer eenzaam of bang maakt, is hij er nog niet aan toe het vertrouwde levenspad te verlaten. Toch geeft opwinding aan dat de dromer klaar is voor verandering.

laan, ons waarschuwen voor mogelijke valkuilen of ons kracht geven.

De behoefte aan verandering kan duidelijk worden wanneer we in de droom ons huis opnieuw inrichten, onze kleding vernieuwen of boeken en cd's kopen. Dromen over het oversteken van een weg, rivier of brug kunnen duiden op de risico's die de veranderingen met zich mee kunnen brengen of kunnen de onherroepelijkheid ervan symboliseren.

RICHTING EN IDENTITEIT

De angst de weg kwijt te raken kan tot uiting komen in een droom waarin we gevangen zitten of verdwaald zijn. Als onze droomreis is beladen met angst, zijn we er nog niet aan toe om onze bewuste toestand te verlaten en kunnen we beter de inventaris opmaken voordat we de 'ware ik' benaderen. Als de weg in de droom steeds helderder wordt, kan de tijd rijp zijn een nieuw pad in te slaan.

Een duidelijk leesbare kaart of plattegrond symboliseert de goede richting; wanneer de kaart echter onbegrijpelijk is, zijn we verdwaald met als gevolg een gevoel van frustratie en paniek. Een kaart in dromen vertegenwoordigt zelfkennis; maar als we de aanwijzingen niet begrijpen, is dat mogelijk een waarschuwing dat we in gevaar verkeren of dat we een onbekende voor onszelf worden.

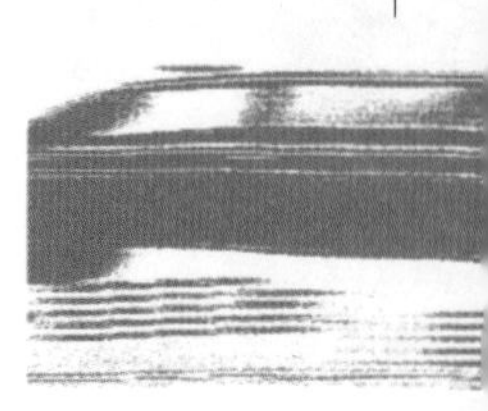

CONTROLE VERLIEZEN
De angst om te verdwalen in het leven, geeft dromen waarin de dromer een stuurloze auto zit.

MASKERS
Gedwongen worden in een droom een masker te dragen, is een teken dat de dromer zijn 'ware ik' vertroebelt.

Angst uw identiteit te verliezen kan zich uiten in een droom waarin u zich uw eigen naam niet kunt herinneren of geen identiteitsdocumenten kunt afgeven wanneer er naar gevraagd wordt.

VREEMDE SPIEGELINGEN
U kijkt in een droomspiegel en ziet tot uw grote schrik een onbekend gezicht.

Dit is de klassieke droom over een identiteitscrisis: het plotselinge besef niet te weten wie je bent.

Richting en identiteit

DOOLHOF

Een doolhof in een droom heeft meestal te maken met de afdaling naar uw onbewuste. Het kan wijzen op de complexe verdedigingsmechanismen die het bewuste ego gebruikt om te voorkomen dat onbewuste wensen en verlangens aan het licht komen.

SUCCES EN MISLUKKING

Net als overdag houden we ons ook in dromen bezig met succes en mislukkingen. Hoe bang we soms ook zijn, vaak geloven we in ons hart dat we mislukkingen te boven kunnen komen. Zekerder is de wetenschap dat succes meestal maar van korte duur is. Tijdens de strijd tegen de Grieken droomde de Perzische prins Xerxes dat hij een kroon van olijventakken droeg, waarvan de twijgen zich over de gehele wereld uitspreidden. Plotseling was de kroon weer weg, een voorteken dat zijn veroveringen spoedig verloren zouden gaan. Hoe dan ook, de meeste dromen over succes of mislukking hebben minder te maken met actuele gebeurtenissen dan met de geestesgesteldheid van de dromer.

TROFEE
Ook al blijft in de droom de reden voor de trofee duister, hier is het gevoel van triomf onmiskenbaar.

Dromen over mislukkingen gaan vaak over situaties waarin we op een deur kloppen zonder antwoord te krijgen of merken dat we geen geld hebben om een taxi te betalen, of dat we een wedstrijd verliezen. Succes in een droom gaat vaak gepaard met een gevoel van voldoening of zelfs enthousiasme. Een hek of obstakel staat voor een uitdaging waarmee de dromer in wakende toestand wordt geconfronteerd. Wanneer u droomt dat u over het obstakel heen springt, duidt dat niet alleen op de mogelijkheid op succes, maar ook op het nodige vertrouwen dat u moet proberen te bereiken. Niveau 3-dromen (zie blz. 42) weerspiegelen succes in de persoonlijke groei en verandering.

EEN WEDSTRIJD WINNEN
Dit wijst op erkenning van ons innerlijk potentieel. De tweede of derde plaats duidt op aspiraties die buiten onze mogelijkheden liggen.

COMMUNICATIESTOORNIS Jezelf niet duidelijk kunnen maken of je moeten verantwoorden is een teken van een gevoel van ontoereikendheid. De droom wijst op de behoefte dit gevoel in wakende toestand het hoofd te bieden. Wanneer het niet lukt jezelf door de telefoon verstaanbaar te maken, duidt dat op een zwakke mening of op het onvermogen anderen te overtuigen.

ANGST

Angst is waarschijnlijk de meest voorkomende gevoelstoestand in onze dromen. Onze angsten vullen onze dromen met verwarrende, sterk beladen symbolen en een beklemmende sfeer. Zulke dromen tonen niet alleen hoe diepgeworteld onze angsten zijn, ze herinneren ons er ook aan dat we de oorzaak van onze zorgen moeten aanpakken, door de confrontatie aan te gaan of door te leren minder bang te zijn voor gevaarlijke situaties.

Angstdromen zijn te herkennen aan hun emotionele lading. Kenmerkend is dat de dromer verschillende taken tegelijk moet vervullen of dat hij een eeuwigdurende taak moet volbrengen. In weer andere angstdromen kruipt u door een smalle tunnel (vaak een symbool voor geboorteangst) of wordt u verstikt door rook. Als de angst voortvloeit uit sociale onzekerheid, kunnen zich in de droom schaamtevolle situaties voordoen, bijvoor-

VALLEN
Als de dromer van een grote hoogte valt, is dat een teken dat hij te hoog in zijn persoonlijke of professionele leven is gestegen.

GEVOLGD
Dromen waarin u wordt achternagezeten door een eng figuur duiden er meestal op dat aspecten van 'het zelf' aandringen op integratie in het bewustzijn.

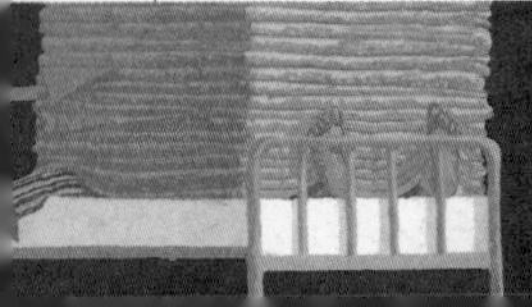

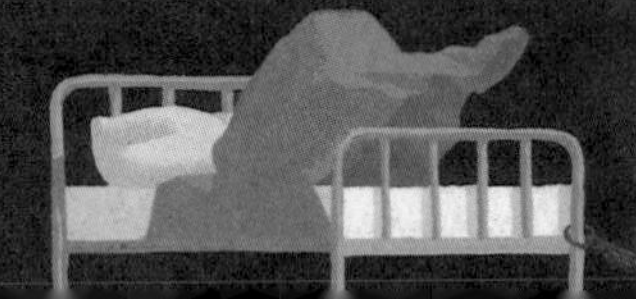

beeld een enorme flater op een overvolle dansvloer.

Als de droomgebeurtenissen melodramatisch getint zijn, als u bijvoorbeeld in handen valt van gemene kapers, drukken ze relatief alledaagse problemen uit. Dergelijke extreme vormen van terreur benadrukken dat u zich bewust moet worden van onderdrukte verlangens en energie.

Frustratie

Een arrestatie duidt mogelijk op schuldgevoelens; een droom waarin u niet krijgt wat u wilt, wijst op een gebrek aan communicatie tussen het bewuste en het onbewuste.

Proberen te rennen

Proberen te rennen, maar merken dat je benen vastzitten of akelig langzaam bewegen, komt mogelijk doordat onze hersenen ons ervan weerhouden de droom in daden om te zetten.

Verdrinken

Dromen over verdrinking of worsteling in water betekenen dat de dromer bang is overspoeld te worden door krachten die diep in zijn onbewuste verborgen liggen.

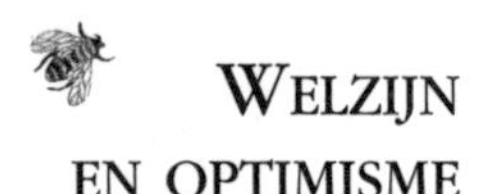

WELZIJN EN OPTIMISME

Een optimistische of blije droom kan zich op elk moment voordoen, zelfs als we volledig de last van het leven ervaren. Zulke dromen kunnen ons blij en tevreden stemmen met ons eigen leven en met de wereld als geheel.

Optimistische dromen bevatten symbolen van geluk of vrede, of beelden die voor de dromer van persoonlijk belang zijn, zoals een gelukssteen, of culturele symbolen zoals zwarte katten of olijftakken. Sommige mensen zien deze dromen als een belofte van toekomstig succes.

Dromen waarin de configuratie van het geluksgetal van de dromer voorkomt, zijn een reden voor optimisme. Krachtiger

HONING EN BIJEN

Bijen in dromen waren altijd al een veelbelovend symbool; ze voorspellen vrede en voorspoed.

nog zijn droomvisioenen van de regenboog, het archetypische symbool voor hoop en verzoening. Van oudsher is het hek het symbool van de toegang tot een nieuwe wereld van mogelijkheden en verlichting.

Lucide dromen (zie blz. 31-34) worden meestal gekarakteriseerd door gevoelens van blijdschap en opwinding, en gaan vaak gepaard met levendige en stimulerende kleuren.

Als we de dromen die welzijn en optimisme bevatten met amplificatietechnieken (zie blz. 58) verder uitwerken, kunnen er associaties met de Elysische velden, het paradijs van de klassieke mythologie, naar boven komen.

LICHT
Als er licht in de droom verschijnt, zal een dieper inzicht duidelijk worden of weldra tot uw bewustzijn doordringen. Door amplificatie van dit soort dromen is het mogelijk dat u religieuze associaties ontdekt, zoals Christus als het licht van de wereld.

KLEUREN
Heldere kleuren vormen meestal de aanzet tot een 'grote droom' (zie blz. 42). Oranje is de kleur van hoop.

GEZAG EN VERANTWOORDELIJKHEID

Mensen die overdag een invloedrijke en verantwoordelijke positie bekleden, geven te kennen dat hun status vaak in hun droom weerspiegeld wordt. In dergelijke dromen moeten ze allerlei noodgevallen oplossen.

Soms gaan dromen over gezag en verantwoordelijkheid over in angstdromen. De dromer geeft orders die niemand uitvoert. Dergelijke droombeelden vestigen de aandacht op gevoelens van onzekerheid en wijzen op de noodzaak dat de dromer zich zijn publieke rol meer eigen moet maken. Dromen over autoriteit en

EEN HOED
Een kroon en een hoge hoed zijn traditionele symbolen van gezag, en laten de drager ervan boven zijn collega's uitsteken.

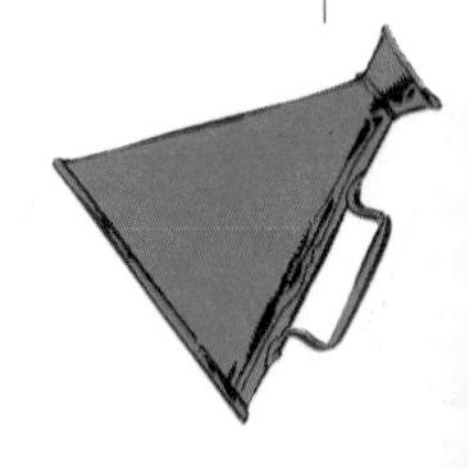

verantwoordelijkheid kunnen ook frustraties en wrokgevoelens over een te grote afhankelijkheid van andere mensen aan het licht brengen. Deze dromen vervullen een tweeledig doel: de gevoelens worden zo op een onschadelijke manier geuit, en de dromer wordt erop gewezen dat hij wordt overbelast in zijn werk.

Veel mensen dromen dat ze aan het hoofd van een lange tafel zitten. Hoe langer de tafel, hoe meer mensen de persoon die aan het hoofd zit, onder zich heeft. Als het eten door de mensen die aan tafel zitten wordt afgekeurd, duidt dat op een conflict met de dromer of op een weigering zijn gezag te accepteren.

STAPELS PAPIER

Een droom over een bureau, beladen met stapels papier, is een typische angstdroom voor leidinggevenden. De droom kan u helpen inzien dat u niet effectief genoeg de binnenkomende werkzaamheden afhandelt.

RELATIES

Bij het analyseren van relaties in dromen is het van buitengewoon belang te onthouden dat de dromende geest niet tot doel heeft de realiteit weer te geven, maar eerder kritiek wil leveren. Droomfiguren zijn eerder symbolen dan dat ze staan voor de echte mensen met wie de dromer in wakende toestand omgaat.

Bij directe associatie kan blijken dat een volslagen vreemde in een droom de karaktertrekken van een echtgenote of echtgenoot vertoont, terwijl de partner aspecten van de dromer kan vertegenwoordigen. Dus een vriend in de gedaante van een vreemde kan tijdens de droomanalyse duiden op een fundamentele ambivalentie in de ideeën van de dromer over vriendschap. Als de dromer onverwachts een geliefd persoon afkeurt, kan dat betekenen dat hij sommige karaktertrekken van zichzelf veroordeelt. Een scheiding van de kinderen kan duiden op het verlies van langgekoesterde idealen of het fa-

REPARATIES
De reparatie van apparatuur, bijvoorbeeld een radio, duidt op de behoefte om aan een relatie te werken om verslechtering te voorkomen. Een toestel dat op onverklaarbare wijze uit elkaar is gehaald, heeft dezelfde betekenis.

len van persoonlijke ambities.

Het komt voor dat bekende droompersonen zich op een onbekende manier gedragen. Zo'n droom toont niet eerder onderkende aspecten in hun relatie met de dromer aan. Wanneer herhaaldelijk over familieleden gedroomd wordt, is dit een teken van te grote afhankelijkheid ten opzichte van hen. Jonge ouders dromen vaak dat ze per ongeluk in bed op hun baby rollen, en tonen hiermee hun ongerustheid over hun nieuwe rol aan.

Als het niet lukt om een telefoonverbinding tot stand te brengen, wijst dat op een verlies van intimiteit in een verhou-

VOGELS
Merels duiden op jaloezie, eksters op aspecten van het innerlijk die de partner wegpikt.

HOTELS
Een hotel duidt op tijdelijkheid, een ommekeer in een relatie, of zelfs op het verlies van de eigen identiteit.

ding. Dromen over verschrikkelijke hitte of koude weerspiegelen een vurige liefde of juist een koele onverschilligheid ten opzicht van de partner.

Tijdens amplificatie zorgen symbolen van niveau 3 voor droomassociaties met mythische thema's, zoals de liefde tussen

VUUR
Dit is een krachtig en ambivalent droomsymbool. Vuur vernietigt, maar kan ook reinigen en zuiveren. In een droom kan vuur het signaal zijn van een nieuw begin of een weerspiegeling van verstoorde emoties, wellicht het vuur van passie of afgunst.

VEREN
Veren in een droom verbeelden de wens om warmte en tederheid te tonen aan iemand die u nastaat.

de Egyptische goden Isis en Osiris. Isis, symbool van moederschap, hield al in de moederschoot van Osiris.

Een ander archetype dat aan het licht kan komen door amplificatie is de heks, symbool van de bestraffende, schrikaanjagende rol van de Grote Moeder, in alle mythen en sprookjes aanwezig. Zoals de heks het destructieve aspect van de Moeder symboliseert, kan de reus of de boeman dat van de Vader zijn.

STOFGOUD
Een droom over stofgoud dat door iemands vingers loopt, duidt op spijt als een intieme, persoonlijke relatie (of een andere speciale liefdevolle ervaring) ten einde loopt.

SPINNEN
In dromen is de spin de verslindende moeder die haar eigen kinderen opeet, gedreven door bezitsdrang of door haar macht schuld op te wekken. Het web waar de spin zijn prooi in vangt, is ook een algemeen droomsymbool.

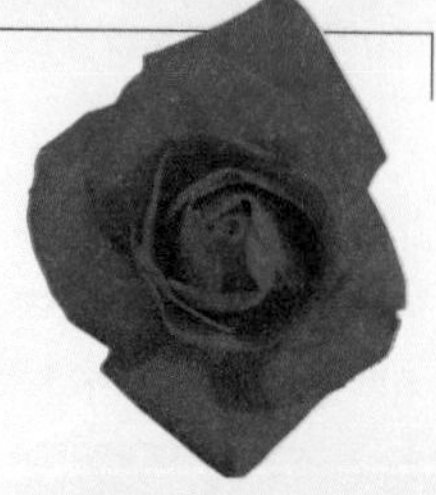

SEKSUALITEIT

Freud meende dat aan een groot deel van ons bewuste gedrag onbewuste seksualiteit ten grondslag lag; hij beschouwde de seksuele voorstellingswereld als de belangrijkste drijfveer van de droomsymboliek.

Freudianen associëren verminking met castratie, en jezelf of een ander slaan met masturbatie. Paardrijden, fietsen of een andere ritmische activiteit staan voor het hebben van gemeenschap. Traplopen, bergbeklimmen, beukende golven op de vloedlijn, reizen en het steken van het ene voorwerp in het andere, zoals een sleutel in het sleutelgat, hebben dezelfde betekenis. Het kleiner maken van een voorwerp heeft te maken met impotentie, gesloten deuren of vensters met frigiditeit.

In de benadering van Jung symboliseren zelfs overduidelijke seksuele thema's hogere creatieve processen. Erotische beelden die de buitenkant van veel

RODE ROOS
Volgens Freud duidt dit traditionele liefdessymbool op de vrouwelijke genitaliën.

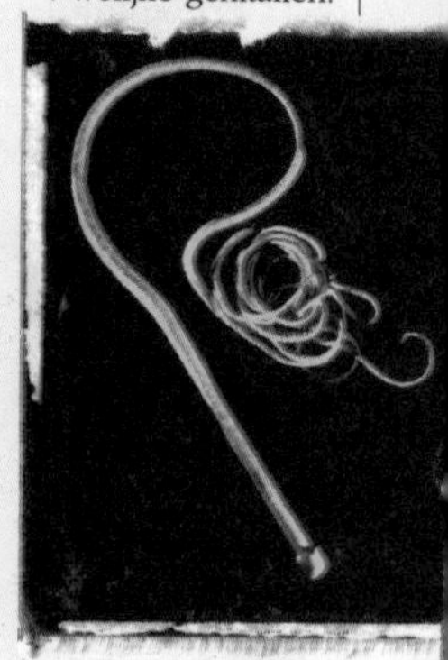

ZWEEP
Een zweep symboliseert het besef van macht, dominantie en volgzaamheid in relaties.

hindoetempels opluisteren, refereren niet alleen aan de vereniging van man en vrouw, maar ook aan innerlijke volledigheid, en op de verbintenis tussen aarde en hemel, het sterfelijke en het goddelijke, de geest en de materie.

STROMEND WATER

Kranen waar water uit stroomt, zijn vaak symbolen van ejaculatie. Stromend water kan ook nieuwe creativiteit duiden.

KAARSEN EN VEREN

Omdat ze rechtop staan, symboliseren veren en kaarsen vaak de penis. Ze kunnen in dromen verschijnen als een symbool van mannelijkheid.

MESSEN

Het mes en de dolk zijn veelvoorkomende, mannelijke seksuele symbolen. Ze stellen de penis voor met zijn vermogen tot penetratie, geassocieerd met brute kracht en agressie. Ze zijn tevens symbool voor het zwaard van Justitia dat dwars door bedrog en domheid heen prikt en valse hoop wegsnijdt.

Kelk
De kelk is een klassiek vrouwelijk seksueel symbool, omdat ze wijn kan bevatten. Vanwege de associatie met de Heilige Graal kan de kelk ook staan voor liefde en waarheid.

Fluweel en mos
In de freudiaanse droomanalyse staan fluweel en mos voor schaamhaar. Anderen leggen de aanwezigheid van fluweel en mos uit als een algemeen verlangen naar de lieflijkheid van de natuur of naar zachtheid en onschuld.

Hoeden en wanten
Omdat ze lichaamsdelen omvatten, zijn ze voor de dromende geest een symbool voor de vrouwelijke genitaliën.

Schoenen

Sommige dromers associëren schoenen met seksualiteit, omdat er lichaamsdelen in passen. Vrouwenschoenen duiden meestal op dominante vrouwelijke seksualiteit.

Tasjes

De tas is een van de meest algemene, vrouwelijke seksuele symbolen en staat zowel voor de vrouwelijke genitaliën als voor de baarmoeder.

WOEDE EN FRUSTRATIE

FRUSTRERENDE TAKEN

In dromen kunnen schijnbaar onbeduidende taken, zoals het bouwen van een kaartenhuis, de vaste greep van het ego op het bewustzijn verkleinen. De dromer leert dat de gave om met onvermijdelijke frustraties te leven een teken is van volwassenheid.

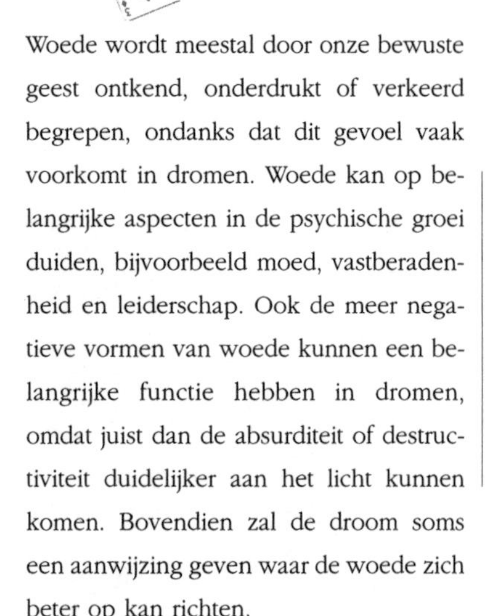

Woede wordt meestal door onze bewuste geest ontkend, onderdrukt of verkeerd begrepen, ondanks dat dit gevoel vaak voorkomt in dromen. Woede kan op belangrijke aspecten in de psychische groei duiden, bijvoorbeeld moed, vastberadenheid en leiderschap. Ook de meer negatieve vormen van woede kunnen een belangrijke functie hebben in dromen, omdat juist dan de absurditeit of destructiviteit duidelijker aan het licht kunnen komen. Bovendien zal de droom soms een aanwijzing geven waar de woede zich beter op kan richten.

Nauw verbonden met woede is frustratie. We missen de trein, komen te laat op een afspraak of we zijn absoluut niet in staat een belangrijke boodschap te lezen. In al deze voorbeelden wordt de dromer erop gewezen de oorzaak van zijn frustratie te achterhalen of, als de oorzaak bekend is, er gerichter mee om te gaan.

Opgekropte gevoelens

Een droom kan een onderdrukte, maar tomeloze woede benadrukken door bijvoorbeeld uitslaande vlammen. Als de woede tegen een bepaald persoon is gericht, komt dat in de droom tot uiting door gif voor diegene te mengen of zijn foto te beschadigen.

Dijkdoorbraak

Een controlerende kracht die bezwijkt voor woeste krachten van binnenuit, is een weerspiegeling van woede en frustratie die op het punt staan tot uitbarsting te komen. Een overstroming over een weg beeldt frustratie van de dromer uit en geeft de noodzaak aan een alternatieve route te zoeken. Zo wordt de dromer erop gewezen dat er meerdere manieren zijn om met frustraties om te gaan.

VERLIES EN OVERLIJDEN

EEN GELIEFD PERSOON
In dromen wordt afstand vaak gebruikt om een sterfgeval te symboliseren. Een geliefd persoon verdwijnt in de verte of zwaait vanaf een vergelegen heuveltop.

EEN LEGE PORTEMONNEE
Een lege portemonnee wijst zowel op het verlies van een geliefd persoon als van de zekerheid van een oude relatie.

Een sterke behoefte om met het leven door te gaan, is een teken dat er onvoldoende tijd is om te rouwen over de dood of het vertrek van een geliefd persoon. In zulke gevallen kan de droom voor ons rouwen. Beelden van verlies maken deel uit van het verwerkingsproces.

Een verlies kan worden gesymboliseerd door een wanhopige zoektocht naar een vriendelijk gezicht in een menigte of door as of stof. Dromen kunnen vol zitten met nostalgie, en warme en pathetische beelden uit het verleden bevatten. Sommige delen van het onbewustzijn moeten de ervaringen steeds maar weer herhalen tot uiteindelijk geaccepteerd kan worden dat het verlies echt heeft plaatsgevonden.

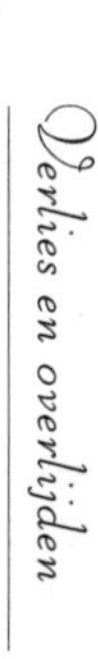

EEN DONKER HUIS
Een huis in een droom symboliseert de dromer zelf, of de dingen die het leven vastigheid geven. Lege of donkere ramen verbeelden de ondergang van een dierbare en de essentiële aspecten van het bewuste leven van de dromer.

Soms hebben dromen over overledenen betrekking op de toekomst. De dromer ziet dat de geliefde persoon in gelukkige omstandigheden verkeert of dat hij door hem wordt bezocht en wordt getroost. Deze dromen laten overdag een gevoel van geluk achter en zijn vaak zo realistisch dat de dromer zeker weet dat er een leven na de dood bestaat.

Religie en spiritualiteit

Jung zag de zoektocht naar spirituele en religieuze waarheid als een van de sterkste krachten van de psyche.

Religie en spiritualiteit komen meestal in dromen van niveau 3 (zie blz. 42) tot uitdrukking. De dromende geest kan de Wijze Oude Man ontmoeten of een ander archetype dat wijsheid symboliseert en zijn waarheden en lessen verkondigt. Andere archetypes kunnen de vorm van een symbool of religieuze afbeelding aannemen. Transcendente ervaringen kunnen plaatsvinden, die bij de dromer diepe gevoelens van verlichting en innerlijke vrede achterlaten.

Niveau 1- en 2-dromen beelden de spirituele wereld op een meer praktische manier uit. Zo kunnen

De Boeddha
Een afbeelding van Boeddha in een droom herinnert de dromer aan de behoefte stilte te vinden in de kern van zijn wezen.

dromen met priesters het gezag van de gevestigde kerk vertegenwoordigen, terwijl christelijke heiligen, hindoeïstische *avatars* of boeddhistische *boddhisattva's* aspecten van de eigen spirituele identiteit en aspiraties van de dromer zelf symboliseren.

Dromen die we geneigd zijn in termen van seksualiteit te interpreteren, zoals het beklimmen van bergen of bomen, beelden eigenlijk geestelijke vooruitgang uit. Een kerk stelt de gelouterde innerlijke wereld voor of de rijkdom en het mysterie van spiritueel onderwijs. De vlucht van een adelaar duidt op spiritueel verlangen en een val op de grond waarschuwt tegen de gevaren van spirituele hoogmoed.

SHIVA
De hindoegod Shiva kan verschijnen als tweeledig aspect van goddelijkheid: de vernietiger, maar ook de schepper.

De Maagd Maria

De Maagd Maria vertegenwoordigt de verheven, onbaatzuchtige liefde en barmhartigheid, en de bovenaardse macht die met genade regeert.

Wezen van Licht

Het wezen van licht is een archetypisch beeld dat een universeel spiritueel idee belichaamt en in alle culturen en religies voorkomt.

DEEL II: SYMBOLEN

HET LICHAAM

In de oude Egyptische, Griekse, Romeinse en middeleeuwse Europese cultuur werd het lichaam gebruikt als metafoor voor de spirituele wereld. De lichamelijke gesteldheid van de dromer weerspiegelt trekken van de psyche van de dromer zelf of van zijn psychische en spirituele groei.

Dromen maken gebruik van lichamelijke symbolen omdat deze beelden onmiddellijk worden begrepen door de bewuste geest. In een droom symboliseren ogen de innerlijke wereld van de 'ziel' of worden ze als metafoor voor lichamelijke kracht gebruikt om de morele standvastigheid van de innerlijke wereld aan te duiden.

De dromende geest kan uiterst creatief met lichamelijke metaforen omgaan. Als we slapen, zijn de normen die we overdag voor discretie en fatsoen hanteren niet aan de orde. Onze dromen kunnen vrijelijk symboliek gebruiken die onze bewuste geest zou verstoren. We zien niet alleen erotische beelden, maar ook ingewanden, die lef en moed symboliseren. De droom kan de relatie tussen het lichaam en de wereld erbuiten tot uitdrukking brengen; zo kan handen wassen duiden op een

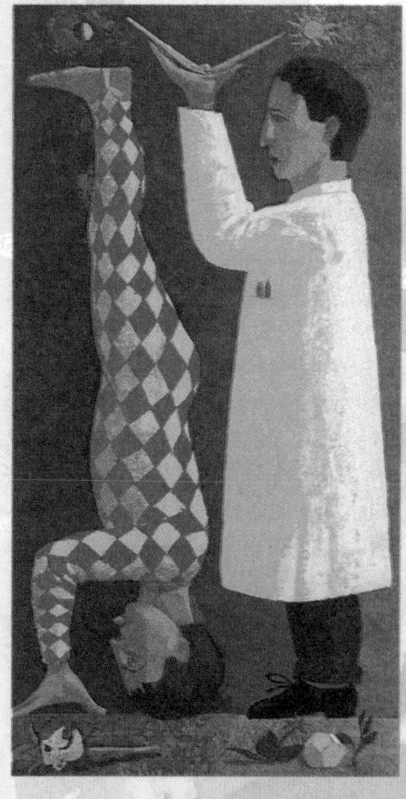

RECHTS EN LINKS
Volgens jungianan heeft de rechterkant van het lichaam betrekking op aspecten van het bewuste leven, de linkerkant op het onbewuste.

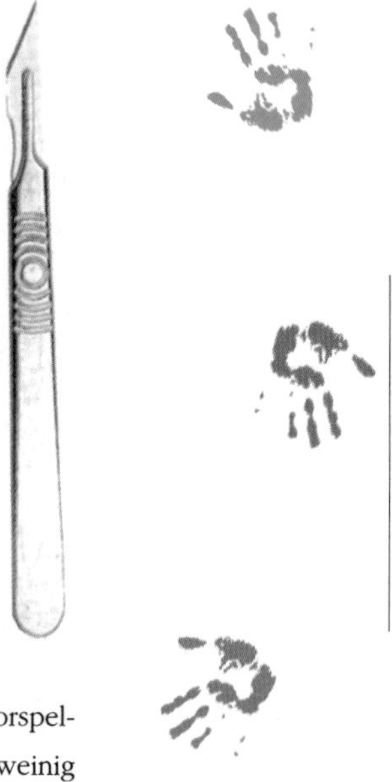

ontkenning van verantwoordelijkheid, op loutering, schuld of zedeloosheid.

Het lichaam als symbool in dromen kan ook duiden op komende lichamelijke klachten of op de echte gevoelens over diëten en sport. Volgens de eerste droomanalisten waren dromen met symbolische lichamen voorspellend. Thomas Tryon, een 19e-eeuwse Engelse droomwerker, dacht dat dromen waarin de buik goed te zien was, familieuitbreiding of welvarendheid voorspelden, terwijl het zien van de rug weinig goeds zou brengen.

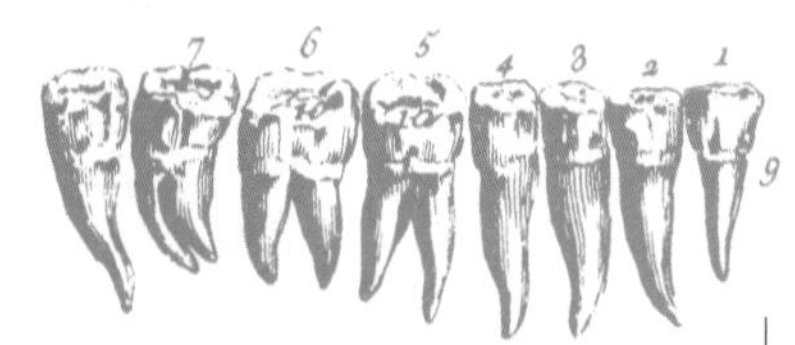

Botten

Botten geven de essentie van zaken weer. Een kaal bot kan een plotseling inzicht betekenen. Gebroken botten suggereren een fundamentele zwakheid.

Tanden

Artemidorus interpreteerde de mond als een huis en de tanden als de bewoners ervan.

Gebroken en uitgevallen tanden komen in veel angstdromen terug.

Ogen

Ogen zijn de symbolische vensters van de ziel en geven inzicht in de staat van onze spirituele gezondheid.

Haar

Haar symboliseert ijdelheid en het ritueel scheren van het hoofd verwerping van wereldlijke zaken.

Hart

Het hart heeft de archetypische betekenis van het centrum van het emotionele leven en symboliseert de liefde.

Mond

Volgens Freud duidt de mond op een vroege psycho-seksuele ontwikkeling.

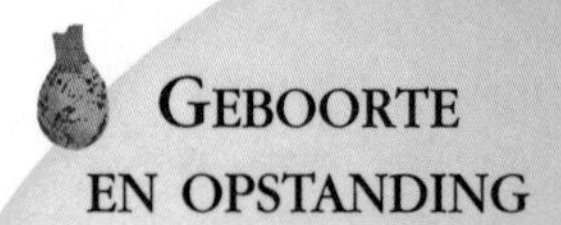

GEBOORTE EN OPSTANDING

Het collectief onbewuste laat een doorlopende cyclus van verandering zien. Dromen kondigen vaak wedergeboorte en vernieuwing aan door de dromer mee terug te nemen naar zijn kindertijd en oude herinneringen te verweven met nieuwe ervaringen. Een droom over onze kinderjaren weerspiegelt eerder onze volwassen zorgen (zoals onze behoefte jong te zijn) dan een werkelijk verlangen om weer kind te zijn. Een soortgelijke ervaring doet zich voor wanneer we dromen dat we ouder zijn: leeftijd symboliseert dan wijsheid, starheid of zwakheid.

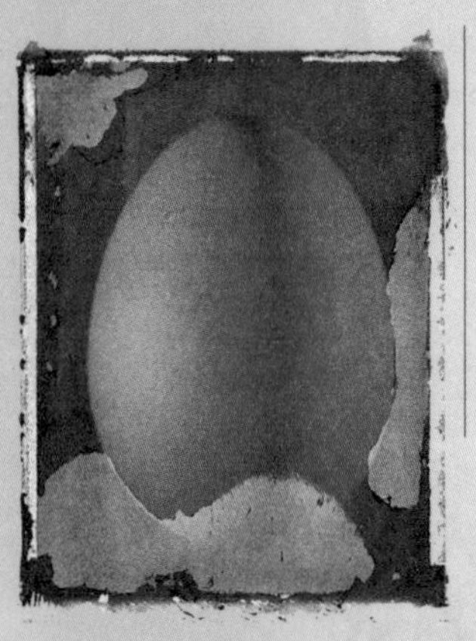

Opstanding, het weer tot leven komen van overleden mensen, dieren of bomen: het zijn klassieke droomarchetypen die veelal wijzen op een nieuw leven vol oude plannen en uitdagingen. Zulke dro-

HET VINDEN VAN EEN EI
Het vinden van een ei, baby of ander beeld van geboorte kan wijzen op nieuwe mogelijkheden in het leven van de dromer.

HET GODDELIJKE KIND
Een van de sterkste archetypische symbolen is dat van het goddelijke kind, dat volmaaktheid, wedergeboorte en een onschuldige primaire wijsheid vertegenwoordigt. In veel spirituele tradities wordt het goddelijke kind geassocieerd met de maagdelijke geboorte, een symbool van de spirituele potentie van de dromer zelf.

men kunnen waarschuwen voor de terugkeer van onopgeloste problemen.

Geboorte (vaak uit de mond, buik of genitaliën van de dromer zelf) wordt geassocieerd met nieuwe plannen en oplossingen, maar kan ook duidelijk wijzen op actuele mogelijkheden die op uitwerking wachten.

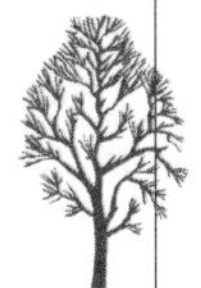

NAAKTHEID EN KLEDING

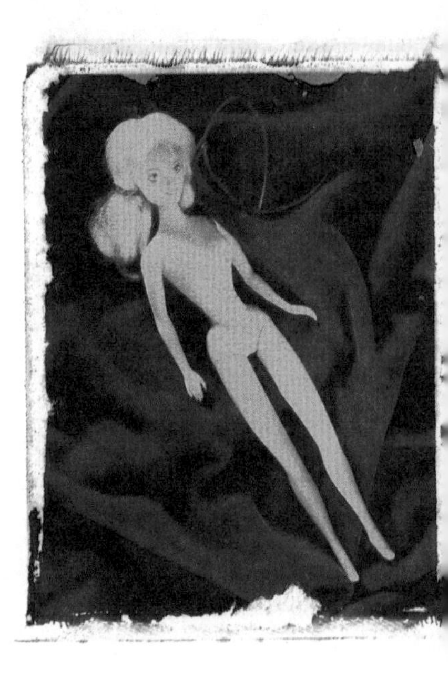

In dromen van niveau 1 en 2 staat naaktheid voor kwetsbaarheid, een verlangen om de verdediging af te werpen, zonder schaamte, of voor liefde voor de waarheid. Als we overdreven bang zijn voor onze eigen naaktheid of die van anderen, duidt dat op onze angst voor eerlijkheid en openheid in relaties of op het moeilijk kunnen accepteren en integreren van de eigen seksuele energie. Volgens Freud symboliseert naaktheid ook een verlangen naar de verloren onschuld uit de kindertijd of onderdrukt seksueel exhibitionisme, meestal het gevolg van bestraffende houding van de ouders jegens de dromer tijdens de exhibitionistische fase in de kindertijd.

DE VROUWELIJKE NAAKTHEID
Venus en andere klassieke godinnen werden vaak naakt afgebeeld. Deze goddelijke naaktheid stond symbool voor de liefde en de schoonheid.

NAAKTHEID ACCEPTEREN
Accepteert u de naaktheid van een ander, dan kunt u accepteren wie hij werkelijk is.

NAAKTHEID BIJ KINDEREN
Naaktheid bij kinderen symboliseert onschuld, maar kan ook staan voor bedrog of liefde.

ONVERSCHILLIGHEID
Als het anderen niet opvalt dat de dromer naakt is, moet hij de angst om afgewezen te worden laten varen.

Kleding kan zich manifesteren in schitterende gewaden van heiligen, goden en engelen of symboliseert aardse ijdelheid, uiterlijk vertoon of schaamte en imperfectie.

Kleren kunnen de aandacht vestigen op wat ze juist proberen te verbergen: bh's of broeken stellen borsten, genitaliën, mannelijkheid, vrouwelijkheid of seksualiteit voor.

Kleren, vooral in uitgesproken kleuren, zijn in dromen een teken van een positieve psychische of spirituele groei. Overdaad wijst echter op schijn of een zwakte voor we-

AFKEER VAN NAAKTHEID
Wanneer de dromer het vreselijk vindt dat een ander naakt is, betekent dat angst, teleurstelling of weerzin om het werkelijke karakter achter de façade van de Persona te ontdekken.

HARNAS
Een droom over het dragen van een harnas betekent dat de dromer zich te defensief opstelt.

reldse opzichtigheid. Omdat kleren iemand groter of dunner, rijker of armer kunnen doen lijken dan hij in werkelijkheid is, kunnen ze staan voor zelfbeschuldiging of hypocrisie: een opzichtig vest of een das vertegenwoordigt ons besef dat we anderen op een bepaalde manier om de tuin leiden, dat we een Persona laten zien die niet met de werkelijkheid overeenstemt.

TE STRAKKE KLEDING
Dit is meestal een teken dat de dromer geremd of beperkt is door zijn publieke of professionele rol.

Cape

De cape staat voor iets illegaals, een mysterie en het occulte, of voor beschermende warmte en liefde.

Sieraden

Goud en diamanten symboliseren van het ware zelf. Robijnen betekenen passie, saffieren waarheid en smaragden vruchtbaarheid.

Ondergoed

Ondergoed staat voor onbewuste ideeën en vooroordelen. Kleur en staat geven de betreffende kwaliteit aan.

ANDERE MENSEN

REUZEN
In volwassen dromen vertegenwoordigen reuzen herinneringen uit de kindertijd.

In onze droom ontmoeten we veel andere mensen. Soms stellen ze duidelijk de mensen voor die we kennen, die ons aan bepaalde vooroordelen jegens hen herinneren; andere mensen vertegenwoordigen op een abstractere manier bepaalde kwaliteiten, wensen of archetypische thema's, of staan voor aspecten van het innerlijk van de dromer zelf. De bundelende kracht van de droomsymboliek werkt dusdanig dat één persoon tegelijkertijd alle drie functies kan vervullen in een bepaalde passage in één droom.

DE SCHADUW
Dit archetype staat voor alles wat de dromer niet wil zijn en symboliseert verborgen of onderdrukte aspecten van zijn persoonlijkheid (zie blz. 71-72).

Een gedetailleerde analyse is vaak nodig om de exacte functie van een persoon in de droom te bepalen. Jung dacht dat een begeleider die in verschillende gedaanten in de droom verschijnt, maar telkens als dezelfde figuur wordt herkend, aspecten van het innerlijk van de dromer zelf voorstelt. Door overdag het gedrag van deze persoon in de diverse droomomstandigheden te overdenken, ontdekken we hoe we bij andere mensen overkomen.

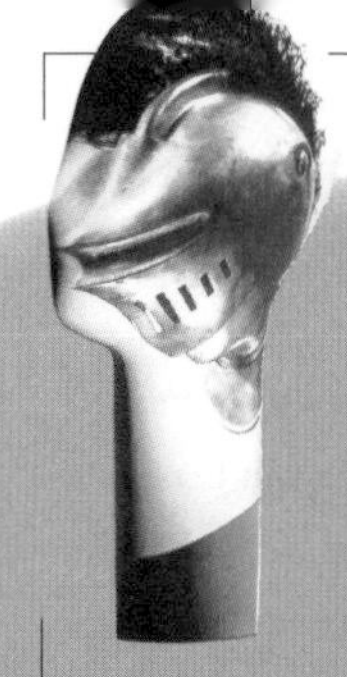

DE HELD
Dromen gebruiken vaak fictieve figuren om boodschappen te openbaren. De Ridders van de Ronde Tafel zijn archetypische helden, die zichzelf opofferen voor een hoger doel.

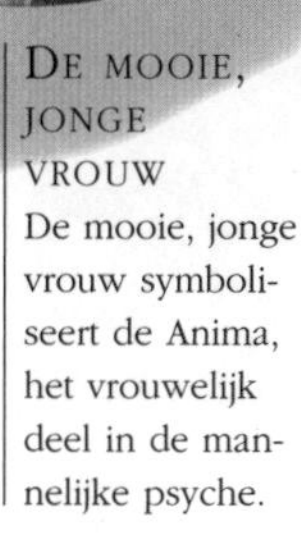

DE MOOIE, JONGE VROUW
De mooie, jonge vrouw symboliseert de Anima, het vrouwelijk deel in de mannelijke psyche.

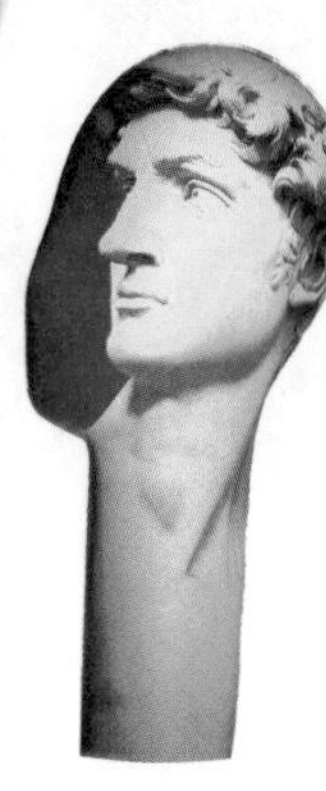

DE STILLE GETUIGE
Een persoon in de droom die niet kan of wil spreken, verbeeldt een onontwikkeld aspect in het innerlijk van de dromer.

DE KNAPPE, JONGE MAN
Symbool van Animus, mannelijk deel in de vrouwelijke psyche.

GEZONDHEID

Volgens enkele hedendaagse droominterpretatoren kan tijdens de droom genezing plaatsvinden als de dromer zich voor het slapen gaan op het probleem heeft geconcentreerd. Volgens Jung brengen sommige dromen duidelijke boodschappen over zowel onze lichamelijke als de geestelijke gezondheid.

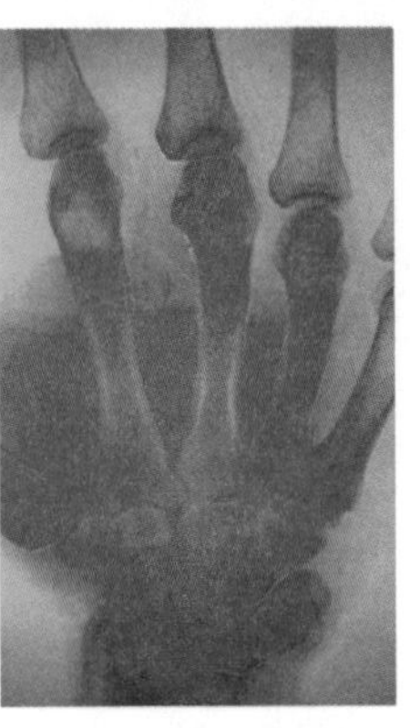

GEBROKEN LEDEMATEN
Zijn bedreigend voor ons leven en onze kracht.

ZIEKENHUIZEN
Dromen over ziekenhuisopname duiden op het verlangen of juist de angst de beheersing over het eigen lichaam op te geven.

GEWICHTSVERLIES
Gewichtverlies symboliseert het zuigende effect dat veeleisende mensen op de dromer hebben.

LICHAAMSFUNCTIES

Freud associeerde dromen over uitscheiding en toiletteren met de anale fase van de psycho-seksuele ontwikkeling. Een klein kind ervaart bevrediging door zich te ontlasten, en een hardhandige aanpak van de ouders bij de zindelijkheidstraining kan bij het kind schaamte, walging en angst ten aanzien van zijn lichaamsfuncties achterlaten.

Volgens Freud kan anale fixatie zelfs verantwoordelijk zijn voor persoonlijkheidsstoornissen als gierigheid en ongecontroleerde razernij.

GEBREK AAN PRIVACY

Geen privacy op het toilet is een teken van angst voor publieke blootstelling of behoefte aan grotere zelfexpressie.

TOILET

Ontlasting symboliseert publieke angst of schaamte of de wens om de innerlijke wereld van de dromer tot uitdrukking te brengen, met een creatief of zuiverend doel. Menstruatie wordt met een plotselinge ontlading van creativiteit geassocieerd.

Sterfelijkheid

Begrafenis
Een begrafenis duidt op onderdrukking van verlangens en trauma's, maar kan ook duiden op de afsluiting van een bepaalde levensfase of de behoefte daaraan.

Voor iedereen speelt de dood een kwellende, angstige en tegelijkertijd ook fascinerende rol. Dromen van niveau 1 en 2 (zie blz. 42), die vlak onder de oppervlakte van ons bewustzijn liggen, zitten vol angsten voor onze eigen dood of voor het definitieve verlies van dierbaren.

Angstdromen over uw eigen sterfelijkheid duiden op de behoefte om het onvermijdelijk lot in uw bewustzijn te aanvaarden. Dromen over de dood van andere mensen symboliseren abstractere angsten, zoals de vernietiging van uw per-

soonlijkheid of innerlijk, een vrees voor straf of goddelijke vergelding, angst voor de hel of voor de manier van sterven. Veel dromen over de dood hebben helemaal geen relatie met sterfelijkheid. Sommige dromen hebben betrekking op aspecten van uw psychisch leven of op een ommekeer.

Als we in onze droom het overlijdensbericht van iemand lezen, zijn grafsteen voor ons zien, of op zijn begrafenis komen, kan dat betekenen dat diegene ontslagen wordt, dat de dromer die persoon niet meer aardig vindt of dat hij op een andere manier in ongenade valt.

SYMBOLEN VAN DE DOOD
Schedels, zandlopers en de man met de zeis zijn belangrijke symbolen van de dood. Dromen over dergelijke doodsattributen herinneren u eraan dat het leven een beperkte duur heeft om plannen te realiseren, of wijzen op een naderend einde, zoals het einde van een huwelijk.

GEVANGENSCHAP EN VRIJHEID

Dromen benadrukken de discrepantie tussen de beperkingen van het leven en onze

drang naar vrijheid. Een ander gemeenschappelijk thema betreft onze behoefte andere mensen te domineren door ze gevangen te houden of ze te bezitten.

De eigen behoefte naar vrijheid wordt op dezelfde manier gesymboliseerd, door zijn gevecht zich los te maken van anderen. Een naderende executie is een symbool voor de meest extreme vorm van vrijheidsberoving, hoewel zoiets in dromen in verband kan worden gebracht met

VASTGEBONDEN ZIJN

Dromen waarin we vastgebonden zijn, duiden op de behoefte aan vrijheid. Volgens Freud zijn ze een afspiegeling van onderdrukte seksuele fantasieën uit de vroege kindertijd.

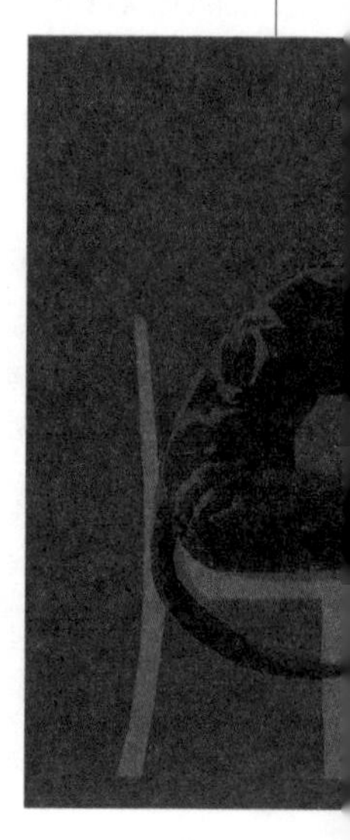

angst voor een potentieel veelbelovende gebeurtenis, zoals een huwelijk.

Vrijheid en gevangenschap symboliseren ook kanten van de psyche die te strak door de dromer beheerst worden. Eventuele mogelijkheden die de dromer weigert te herkennen, kunnen ook in dromen over gevangenschap tot uiting komen, wanneer idealen en gevoelens worden ontkend of in de drang om een spiritueel doel in het leven te vinden.

DOMINANTIE
Onderworpenheid kan een erotische ondertoon hebben.

VRIJHEID
De dromer wil een ander van psychische onderworpenheid bevrijden.

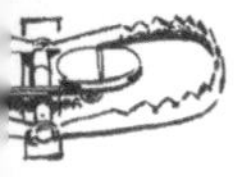

KLIMMEN EN VALLEN

Dromen over klimmen zouden als vanzelfsprekend wijzen op succes, en dromen over vallen op mislukking, maar sommige interpretaties reiken verder. Volgens Freud symboliseren klimdromen een verlangen naar seksuele vervulling, maar ze verwijzen ook naar ambitie op ander gebied, zoals persoonlijke of beroepsmatige ontwikkeling. Vallen kan mislukking of trots symboliseren, maar ook een onzekere afdaling naar het onbewuste.

Vallen en struikelen zijn meestal een herinnering aan een falen voor de meer basale en emotionele kanten van het leven. Dromers hebben het zelden over pijn als ze de grond raken: ze komen meestal zachtjes terecht of worden net op tijd wakker. Dit soort dromen herinneren ons eraan dat ogenschijnlijke rampen meestal geen langdurige gevolgen hebben.

Als we dromen dat we van een dak of uit een hoog raam vallen, duidt dat op on-

LIFT
Een lift suggereert dat het dalen of stijgen van de dromer niet aan zichzelf, maar aan het toeval en toedoen van anderen te wijten is. In sommige gevallen duidt de lift op gedachten uit het onbewuste.

zekerheid ten opzichte van wereldse ambities. Als we van een brandend gebouw vallen, is dat een teken dat we onder emotionele spanning staan.

GLIBBERIGE HELLING
De bekende droom waarin we proberen een glibberige helling of een gladde ladder op te klimmen suggereert een falen om progressie te maken.

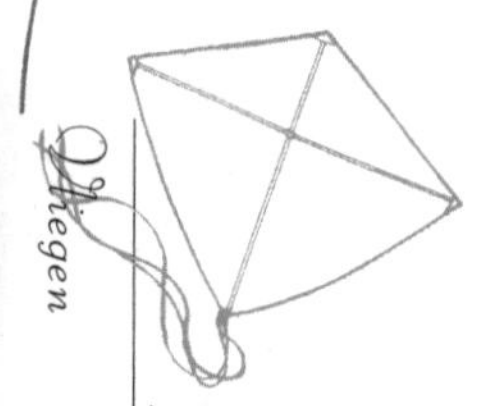

Vliegen

VLIEGEN

Vliegdromen geven meestal een gevoel van vreugde en sommige dromers spreken van een vreemd gevoel van herkenning, alsof het vliegen een vaardigheid is die ze altijd al hebben bezeten, maar vergeten waren. Vliegdromen worden zelden als onplezierig of eng ervaren, het gevoel van vrijheid en verrukking geeft de dromer juist de mogelijkheid over de oneindige mogelijkheden van het leven te fantaseren.

De dromers vliegen niet altijd alleen, maar worden soms vergezeld door vrienden of onbekenden, en geloven dat ze samen het inzicht delen in de ware aard der dingen. Ze kunnen in het gezelschap zijn

VLIEGEREN
Een droom over vliegeren benadrukt de gecontroleerde vrijheid in een aspect van de dromer. Vliegers staan ook voor enthousiaste, maar uiterst onproductieve plannen.

VLIEGTUIG
Het vliegen in een vliegtuig symboliseert de wens te reizen, een verlangen naar snelle vooruitgang of succesvol te zijn in een bepaalde onderneming.

Vliegen

BALLONNEN
Ballonnen worden het meest met fantasie geassocieerd en met de wens de dagelijkse moeilijkheden te ontlopen.

VLIEGEN ZONDER HULP
Vliegen zonder hulp kan een archetypische uiting zijn van uw hogere zelf of uw onsterfelijkheid.

VREEMDE VOERTUIGEN
Als u vliegt in een bed duidt dat op verlangen naar avontuur, getemperd door behoefte aan veiligheid.

van een dier of voorwerp dat de belangrijke kanten van het leven symboliseert. Dromers zien zichzelf vliegen of met reuzenstappen door het luchtruim springen.

Zelden maakt de dromer zich zorgen over vallen. Nadat hij heeft genoten van het panoramische uitzicht onder hem, landt hij meestal zacht op de grond.

REIZEN EN VERPLAATSEN

Freud was ervan overtuigd dat droomgewaarwordingen over reizen en verplaatsingen kenmerkende voorbeelden bevatten van een versluierd verlangen naar seks. Reizen en beweging kunnen echter ook voor andere aspecten van het leven staan, met name voor vooruitgang in het bereiken van persoonlijke en professionele doelen.

Jung beschreef dit verschijnsel in grote dromen (niveau 3-dromen, zie blz. 42) als de archetypische zoektocht naar betekenis en zelfverwezenlijking; in deze dromen gaan we vaak op reis, maar komen we zelden op de plaats van bestemming aan. De dromende geest onthult de behoefte aan vooruitgang in het leven.

Het droompad dat zich voor ons uitstrekt, geeft ons veel aanwijzingen. Een open weg duidt op nieuwe mogelijkheden, een rotsig pad op veel obstakels. Droominterpretatie kan echter aantonen dat het ogenschijnlijke moeilijk pad toch

TREINEN
Reizen per trein duidt erop dat u hulp hebt bij uw reis.

STATIONS EN VLUCHTHAVENS
Deze locaties staan voor ongerustheid of opwinding voor de toekomst.

AUTO'S EN BOTEN
Een auto symboliseert vooruitgang in de psychoanalyse. Varen duidt op een reis naar het onbewuste.

KRUISPUNTEN
Vertegenwoordigen beslissingen of een bijeenkomst van mensen en ideeën of een scheiding van wegen.

de weg is die we moeten gaan. De omgeving waar de dromer doorheen reist, onthult aspecten van zijn innerlijk leven. Een droomreis door bijvoorbeeld een woestijn symboliseert eenzaamheid, saaiheid of een gebrek aan creativiteit.

Nader inzicht wordt verkregen door het soort vervoermiddel: Jung merkte op dat reizen in een openbaar vervoermiddel betekent dat de dromer zich als ieder ander gedraagt, in plaats van zijn eigen weg te kiezen om vooruit te komen.

ETEN EN VOEDSEL

Eten is altijd geassocieerd met seksualiteit en dromen over eten en voedsel werden lange tijd geïnterpreteerd in termen van seksualiteit. Ze vereisen echter een bredere interpretatie. Eten dat niet smaakt,

kan duiden op een bitterheid in het emotionele leven van de dromer, terwijl het tevergeefs wachten op een maaltijd verwaarlozing, teleurstelling of een gebrek aan adequate hulp betekent. Dromen over te veel eten, duiden op gulzigheid,

VLEES
Freudiaanse psychologen menen dat dromen over het eten van vlees duidt op het absorberen van de eigen instinctieve energie.

Eten en voedsel

GEZAMENLIJKE MAALTIJD
Gezelig samen eten weerspiegelt intimiteit met anderen, gezamenlijke interesses en harmonie.

SOORTEN VOEDSEL
In de kunst is fruit zowel een teken van sensualiteit als van vruchtbaarheid. Melk is het symbool van goedheid, steun en voeding, terwijl luxe etenswaren als chocola op genotzucht wijzen.

gebrek aan onderscheidingsvermogen en sensualiteit of op kortzichtig gedrag. Het weigeren van voedsel suggereert het verlangen van de dromer zijn afhankelijkheid van andere mensen te beëindigen, terwijl het geven van voedsel aan anderen wijst op de behoefte aan het geven van steun.

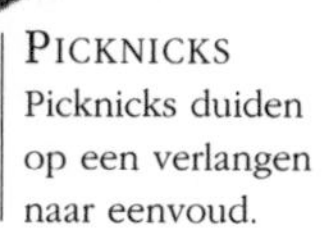

PICKNICKS
Picknicks duiden op een verlangen naar eenvoud.

VASTEN EN SCHRANSEN
Freud zag de mond als een primaire erogene zone, en vasten of schransen een symbool van respectievelijk ontkend en geaccepteerd seksueel verlangen. Vasten kan ook duiden op zelfbestraffing.

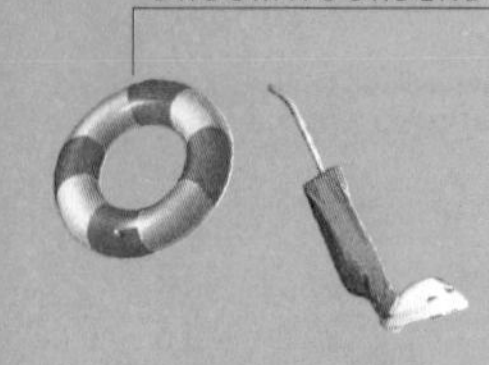

VAKANTIE EN ONTSPANNING

PROBLEMEN OP VAKANTIE
Wijzen op het onvermogen te ontsnappen aan dagelijkse verantwoordelijkheden.

De meeste dromen zijn bijzonder druk. Het komt maar zelden voor dat de dromer zichzelf in de droom ziet ontspannen. Dromen waarin een verlangen naar ontspanning gesymboliseerd wordt, zijn echter heel normaal. Dromen over stressvolle vakanties duiden op angst voor het onbekende in het leven van de dromer.

Soms staat de gestresste toestand van de dromer in contrast met het rustige gedrag van anderen; deze situatie wijst op de noodzaak het kalmer aan te doen. De dromer kan zich soms verschrikkelijk aan het nietsdoen van anderen ergeren; dat duidt op wrok over onvoldoende hulp

VERLATEN PLEKKEN
Het zoeken naar een eiland of verlaten plek duidt op behoefte aan eenzaamheid.

VAKANTIEVOORBEREIDINGEN
Dit wijst op de behoefte om de problemen van alledag te ontvluchten of om nieuwe ervaringen op te doen. Weinig bagage wijst op het besef van de onnodige 'bagage' die hij tijdens zijn leven met zich meezeult.

overdag of kwaadheid over zijn eigen onvermogen. Het kan ook voorkomen dat we merken dat vakantiedromen worden verward met een ander soort reisdromen (zie blz. 170-171). De reis begint bijvoorbeeld als een vakantie en eindigt in een zakenreis. In dergelijke dromen wijst het onbewuste op het onvermogen van de dromer te ontspannen; gekweld door zijn geweten wendt hij zich tot meer serieuze en consciëntieuze bezigheden.

FESTIVALS EN RITUELEN

Alle culturen kennen festivals en rituelen om belangrijke, terugkerende gebeurtenissen te vieren, goden te eren, het verloop van de tijd te markeren en stil te staan bij veranderingen in ons leven.

Droomrituelen nodigen de dromer uit de beperkingen van de bewuste geest te ontvluchten. De deelnemers dragen maskers en zingen bepaalde liederen, en laten hun identiteit van alledag varen om in de archetypische wereld van het onbewuste te treden.

VRUCHTBAARHEIDSRITEN
Deze droombeelden komen voort uit het collectief onbewuste. Rituele offers voor een godheid van de oogst stellen vruchtbaarheid en voorspoed in de toekomst zeker.

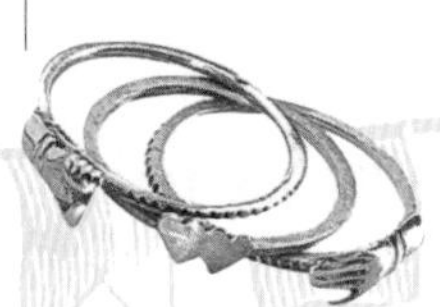

BRUILOFT
Een bruiloft verwijst naar de vereniging van tegenovergestelde, maar elkaar aanvullende delen van de persoonlijkheid en naar vruchtbaarheid, en verenigt het mannelijke en het vrouwelijke, de ratio en de verbeelding.

Dromen die betrekking hebben op Kerstmis of andere belangrijke religieuze vieringen kunnen vrede, vrijgevigheid, welwillendheid, familie en vrienden of een bevestiging van spirituele waarheid vertegenwoordigen. Een bruiloft wijst de dromer op de vergankelijkheid of, als de sfeer positief is, op het belang van relaties en familiebanden en, als de sfeer negatief is, aan de beperkende verplichtingen die hij heeft. Dromen over doopplechtigheden duiden op zuivering, een nieuw begin of de aanvaarding van nieuwe verantwoordelijkheden.

KUNST, MUZIEK EN DANS

In de droom symboliseert de kunst niet alleen de persoonlijke creativiteit van de dromer, zij is ook een schakel naar zijn hogere regionen van bewustzijn.

Soms ontwaken we enthousiast en geïnspireerd door de laatste klanken van een prachtige melodie. Deze muziek komt meestal uit niveau 3-dromen (zie blz. 42) en symboliseert het niveau van innerlijke groei.

De 18e-eeuwse Italiaanse componist Giuseppe Tartini droomde dat de duivel zo'n mooie solo speelde op zijn viool, dat zelfs de inferieure kopie hiervan, die door Tartini werd herinnerd bij het ontwaken (*Sonate du Dia-*

MUZIEK
Symboliseert het potentieel aan creativiteit. Disharmonie wijst op vervormde creatieve mogelijkheden.

SCHILDERKUNST
Als u met succes schildert, duidt dat op het creatieve potentieel en op de juistheid van uw levensvisie.

ble), als zijn beste werk wordt beschouwd.

Dromen over artistieke prestaties benadrukken onze eigen, niet-gerealiseerde mogelijkheden. De rol van toeschouwer of toehoorder wijst op de behoefte inspiratie uit andere mensen te halen. Bepaalde instrumenten, zoals de harp, hebben altijd bijzondere, hemelse eigenschappen gesymboliseerd, terwijl blaasinstrumenten duiden op gevoelige, sensuele energie.

Omdat dromen dezelfde bronnen aanspreken als de fantasie, zorgen ze voor artistieke inspiratie en ideeën. Ze kunnen zelfs een complete compositie doorgeven.

MUZIEK-INSTRUMENTEN
Pijp- en rietinstrumenten zijn gerelateerd aan de natuurlijke energie. Trompetten symboliseren een roep om de innerlijke wereld te doen ontwaken. Het drumstel duidt op een veranderde staat van het bewustzijn.

DANS
Dans kan sensualiteit of seks symboliseren.

SPEL

In dromen staan spel en spelen voor werk en andere serieuze zaken, net als dat werk kan duiden op de waarde van speelsheid.

Een droom over zacht speelgoed wijst op comfort, zekerheid of kritiekloze emotionele steun waarnaar de dromer op zoek is. Ook kan de droom duiden op een weigering de realiteit onder ogen te zien of op een behoefte aan een gevoeliger of lichamelijker contact met dierbare personen.

Spelsymbolen staan open voor een grote reeks interpretaties. Freudianen bijvoorbeeld leggen de link van de ritmische beweging van een schommel naar seksuele gemeenschap, terwijl zij volgens anderen hooguit verwijst naar de verrukkelijke, onvoorspelbare aard van het leven, of de dromer aan de vrijheid van zijn kinderjaren kan herinneren. Bordspelletjes in

POPPEN
Poppen symboliseren de Anima of Animus, de eigenschappen van de andere sekse in onszelf. Jung ontdekte dat poppen kunnen wijzen op een gebrek aan communicatie tussen het bewuste en het onbewuste.

TREINTJES
Treintjes staan voor onze wens controle uit te oefenen over de richting van ons eigen leven.

de droom verwijzen naar de vooruitgang van de dromer in zijn leven, met alle voorspoed en tegenslagen. Het kunnen wensvervullingen zijn als de dromer wedijvert en wint, of er kan een angst voor competitie aan het licht komen.

Dromen over spel benadrukt dat de beste ideeën komen als de geest speels en ontspannen is. Anderzijds kunnen dergelijke dromen suggereren dat de dromer serieuze zaken te licht opneemt of dat wat een onschuldige verpozing lijkt voor anderen wel degelijk van belang is. Speelsheid kan ook betekenen dat we de regels overtreden waarop een relatie of een andere belangrijke zaak is gebaseerd.

MARIONETTEN
Handpoppen of marionetten suggereren manipulatie en een gebrek aan vrije keus.

VECHTEN EN GEWELD

Dromen gebruiken fysiek geweld als een metafoor voor conflicten op een ander vlak. Als de dromer het slachtoffer is van geweld wijst dat op een aanval op zijn status, relaties of op een bedreiging voor zijn financiële situatie, gezondheid of op zijn welvaart in het algemeen. Als de betreffende persoon in zijn droom geniet van het kijken naar geweld, heeft dat te maken met onbewuste agressieve impulsen in hemzelf.

OORLOG EN VELDSLAGEN

Jung meende dat oorlogen en veldslagen tekenen zijn van een groot conflict tussen aspecten van het bewuste en het onbewuste van de dromer.

GEWELD TEGEN HET ZELF

Geweld tegen de dromer zelf duidt meestal op een verlangen naar zelfbestraffing.

ONDEUGDELIJK WAPEN

Een wapen dat bij verdediging weigert af te gaan, wijst op machteloosheid.

GEWELD TEGEN ANDEREN

Duidt op een gevecht tegen ongewenste kanten van het innerlijk leven van de dromer.

TESTS EN EXAMENS

Examendromen zijn zenuwslopend. In deze dromen leggen we examens af zonder enige voorbereiding of in een onbegrijpelijke taal. Examendromen betekenen succes en falen op elk gebied van ons persoonlijk of professioneel leven. Wanneer de dromer zakt voor een test kan dat een stimulans zijn om zijn tekortkomingen eindelijk onder ogen te zien.

Vooral als het examen plaatsvindt in een koude, onpersoonlijke omgeving duidt dat op de ongrijpbare macht van bureaucratie en autoriteiten die het leven van de dromer lijken te beheersen.

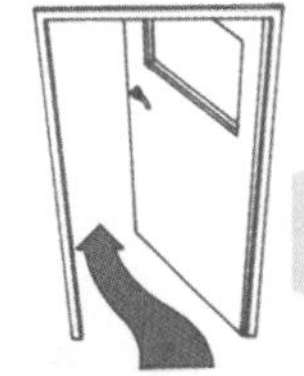

VRAAG-GESPREK
De ondervragers staan voor bepaalde aspecten van de dromer en wijzen op zelfverloochening en ontevredenheid met zichzelf.

GEVEN EN NEMEN

Dromen over geven en nemen verduidelijken de aard van onze relaties met anderen. Bijvoorbeeld: uit het ontvangen van veel cadeaus bij een feestelijke gelegenheid blijkt een duidelijke waardering van anderen voor de dromer, maar als de cadeaus op een ongepast moment gegeven worden, duidt dat op een reeks ongewenste adviezen.

CADEAUS DIE TELEURSTELLEN

Een droombeeld dat aan de buitenkant aantrekkelijk lijkt, maar van binnen verrot of weerzinwekkend is, symboliseert teleurgestelde verwachtingen.

Als de dromer een cadeau voor iemand koopt, wil hij speciale moeite doen voor die persoon. Als de dromer de ander echter overlaadt met cadeaus, is hij te opdringerig met het geven van advies, geeft hij te veel aandacht waar het ongewenst is of onderneemt hij vruchteloze pogingen om bij anderen in de gunst te vallen.

ONGEPASTE CADEAUS
Een ongepast cadeau wijst op de ongewenste attenties van iemand of op eigenschappen en kwaliteiten van de dromer die hij waardeloos vindt.

BRIEVEN EN PAKJES

Goederen of boodschappen ontvangen per post kondigt iets onverwachts aan in het leven van de dromer: een nieuwe kans of uitdaging.

De reactie van de dromer op de inhoud van het pakje geeft een aanwijzing voor de betekenis. Als het bijvoorbeeld niet lukt de brief uit de envelop te pakken, maakt de dromer niet ten volle gebruik van een kans op een aanbod, terwijl een hoopvol gevoel voordat de brief wordt geopend wijst op een positievere instelling. De identiteit van de afzender is ook belangrijk voor de betekenis van de droom.

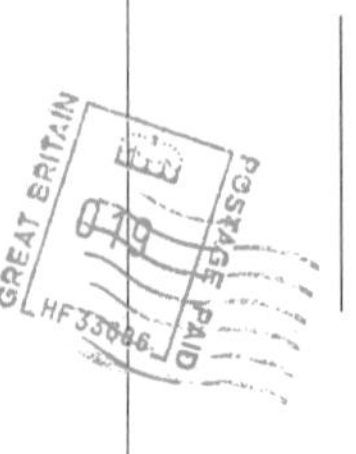

BOODSCHAPPEN PER POST
Als de dromer iemand post of boodschappen brengt, duidt dat op verantwoordelijkheid, zijn betrouwbaarheid of mogelijke geheimhouding.

WINKELEN EN GELD

Winkels en warenhuizen symboliseren de reeks kansen en beloningen die we in ons leven krijgen. Onze mogelijkheid ze te pakken, kan worden aangegeven door de hoeveelheid geld die we in de droom hebben. Geld in niveau 1- en 2-dromen (zie blz. 42) symboliseert macht; over onvol-

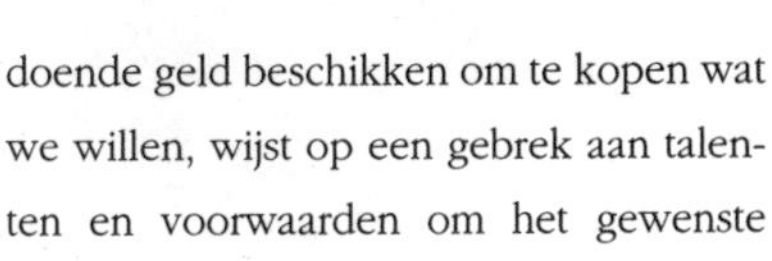

doende geld beschikken om te kopen wat we willen, wijst op een gebrek aan talenten en voorwaarden om het gewenste doel te bereiken.

ETALAGES
Deze wijzen op uitsluiting van de goede dingen van het leven.

SPAREN
Sparen wijst zowel op voorzichtigheid als op egoïsme.

COMMUNICATIE

SPREKEN IN HET OPENBAAR
Een publiek dat weigert stil te zijn, kan wijzen op wanordelijke gedachten. De afwezigheid van publiek wijst op een totale onverschilligheid van anderen ten opzichte van de ideeën van de dromer of op een absoluut gebrek aan erkenning voor zijn prestaties.

Dromen benadrukken sociale kwetsbaarheid. In dergelijke dromen wordt de dromer afgeschilderd als iemand die niet in staat is zich verstaanbaar te maken, die wanhopig probeert de aandacht te trekken, of die anderen waarschuwt voor een, in zijn ogen, dreigende ramp. Ook kan de dromer worden uitgelachen of horen dat anderen geringschattende opmerkingen over hem maken. Andere mensen kunnen de dromer minachtend de rug toedraaien als hij een mening of een advies wil geven, of als hij probeert deel te nemen in een gesprek.

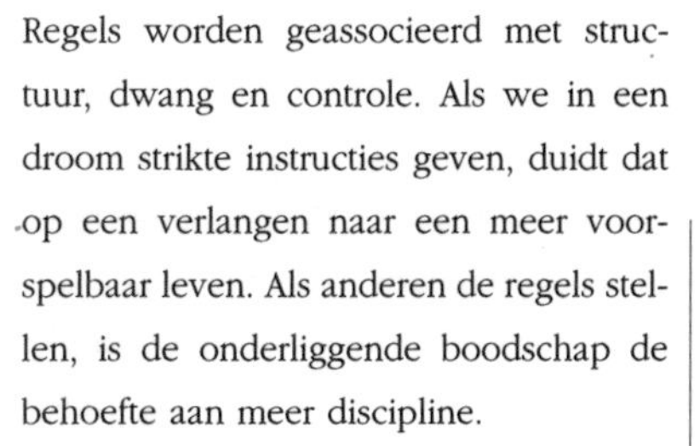

REGELS EN VOORSCHRIFTEN

Regels worden geassocieerd met structuur, dwang en controle. Als we in een droom strikte instructies geven, duidt dat op een verlangen naar een meer voorspelbaar leven. Als anderen de regels stellen, is de onderliggende boodschap de behoefte aan meer discipline.

Dromen waarin we regels overtreden waar we het bestaan niet van wisten, benadrukken de onrechtvaardigheid van bepaalde ervaringen in het leven: dergelijke dromen kunnen ons van bepaalde frustraties verlossen.

Wanneer de dromer de regels opvolgt, laat hij zich te gemakkelijk door anderen leiden, het kan echter ook op zijn integriteit wijzen.

WANGEDRAG
Dromen waarin de rebelse dromer vrijwillig de regels overtreedt, hebben betrekking op de kinderjaren.

THUIS

Thuis

Huiselijke taferelen komen vaak in dromen voor. Meestal spelen de dromen zich af in het eigen huis, al zijn sommige details duidelijk anders. Meubels kunnen op de verkeerde plaats staan, huishoudelijke apparaten hebben onwerkelijke afmetingen en volkomen onbekende mensen verschijnen plotseling en doen alsof het huis van hun is.

Deze absurditeiten kunnen de aandacht vestigen op bepaalde wensen of angsten, om verborgen herinneringen te ontsluieren of om met een frisse blik een probleem te benaderen. Door de absurditeiten voor directe of vrije associatie (zie blz. 58 en 228) te gebruiken, kan de dromer de betekenis van de droom ontwarren, door alledaagse details in verband te brengen met bredere, mythische, symbolische of archetypische thema's.

KOKEN

Als in een droom eten wordt klaargemaakt voor andere mensen wijst dat op de wens om anderen te beïnvloeden of om ze afhankelijk van de dromer te maken.

GEBARSTEN VOORWERPEN

Deze symboliseren gebreken in het karakter van de dromer of in bepaalde stellingen, ideeën of relaties van hem.

BEROEPEN

In de droomwereld nemen beroepen een prominente plaats in en zijn ze vaak gerelateerd aan aspecten van de persoonlijkheid van de dromer zelf. We zien onszelf bijvoorbeeld tevergeefs kranten verkopen, wat kan duiden op een onvermogen anderen te attenderen op belangrijke informatie. Een droom waarin we solliciteren, wijst op de behoefte een duidelijker doel te hebben in ons leven.

We bevinden ons soms ook in de huidige werkkring, waar de droom kan wijzen op aspecten waarin we niet productief werken, niet gebruikmaken van alle mogelijkheden of nieuwe kansen laten schieten.

BUREAUCRATIE
Een droom waarin met bureaucratie moet worden omgegaan, houdt meestal verband met een gebrek aan emotie bij de dromer of bij degene met wie hij contact heeft.

ZEELIEDEN
Duiden op de avontuurlijke kanten van de dromer en het verlangen zijn innerlijke wereld te verkennen.

KELNER
Goede service benadrukt het belang van onafhankelijkheid. Slechte of onpersoonlijke bediening suggereert de behoefte aan meer warme contacten.

POLITIE
Kan duiden op remmingen en op censuur van natuurlijke neigingen door de bewuste geest. Achterna gezeten worden door de politie kan op een schuldgevoel wijzen.

HUIZEN EN GEBOUWEN

Huizen in dromen staan meestal voor de dromer zelf en vertegenwoordigen zijn lichaam. Net als een lichaam heeft een huis een voor- en achterkant, vensters die uitzicht bieden op de wereld en deuren waardoor voedsel naar binnen komt. Na een droom over een huis stelde Jung zijn theorie van het collectief onbewuste (zie blz. 57) samen.

Andere gebouwen vertegenwoordigen ook het zelf. Gerechtsgebouwen sym-

BIBLIOTHEEK
Staat symbool voor ideeën en direct beschikbare kennis.

HEILIGE PLAATSEN
Een kerk, kathedraal, moskee of tempel vertegenwoordigt de spirituele kant van de dromer en staat ook voor vrede en wijsheid.

boliseren het beoordelingsvermogen, musea staan voor het verleden, terwijl fabrieken en molens verband houden met de creatieve kant, waarbij de productiviteit of het mechanische karakter wordt benadrukt.

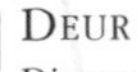

RAMEN
Freud: ramen zijn vrouwelijke seksuele symbolen. Jung: het vermogen van de dromer om de buitenwereld te begrijpen.

DEUR
Die naar buiten opengaat: behoefte aan grotere toegankelijkheid tot anderen; die naar binnen opengaat: zelfonderzoek nodig.

KASTEEL
Waarschuwt dat ons psychisch verdedigingsmechanisme ons van anderen isoleert.

ONAF HUIS
Er moet gewerkt worden aan aspecten van geest en lichaam.

KAMERS EN ETAGES
Woonkamers duiden op het bewuste en voorbewuste, kelders op het onbewuste, en kamers op de eerste etage op spiritualiteit.

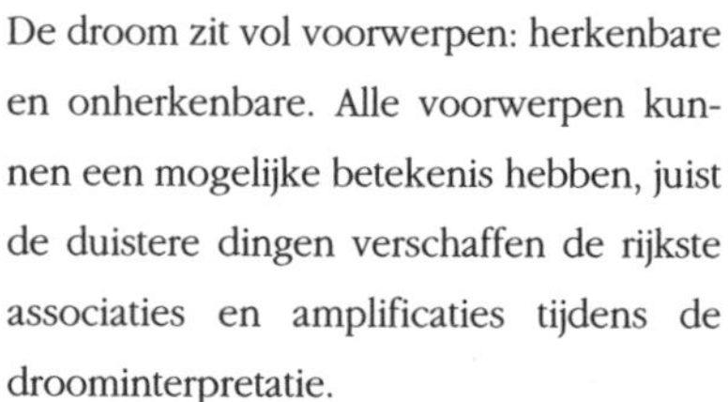

Voorwerpen

Voorwerpen

De droom zit vol voorwerpen: herkenbare en onherkenbare. Alle voorwerpen kunnen een mogelijke betekenis hebben, juist de duistere dingen verschaffen de rijkste associaties en amplificaties tijdens de droominterpretatie.

Schelpen

De schelp is een symbool voor het onbewuste en voor de fantasie.

Klokken en horloges

Klokken en horloges staan voor het menselijk hart en zo het emotionele leven van de dromer.

Boeken

Vertegenwoordigen wijsheid. Niet een boek kunnen lezen wijst op de behoefte zich beter te kunnen concentreren.

Vuilnisbak

Een vuilnisbak wijst op ongewenste herinneringen, taken of aspecten van het zelf die de dromer liever kwijt is.

Sommige associaties houden duidelijk verband met de ervaringen overdag. Een camera vertegenwoordigt de wens het verleden in stand te houden. Het verbergen van dingen op donkere plekjes staat voor de wens zich schuil te houden. Een standbeeld of buste vertegenwoordigt de wens om iemand op een voetstuk te plaatsen, maar kan ook duiden op starheid. Een kaars of toorts wijst op intellect of op andere, meer spirituele vormen van begrip. Een kist of juwelendoosje heeft meerdere betekenissen, variërend van de kindertijd tot verboden kennis. De functie van het object is vooral van belang, hoewel vorm, kleur en structuur ook bepalend kunnen zijn.

SPIEGEL
Een onbekend gezicht in de spiegel duidt op een identiteitscrisis. Als het gezicht angst inboezemt, staat het voor de Schaduw.

Op school

Schoolervaringen verschijnen geregeld in dromen van volwassenen. Soms houdt de droom verband met bepaalde gebeurtenissen die de dromer nog steeds met trots vervullen of, wat vaker het geval is, met een gevoel van gêne, maar de school op zich is al een passende metafoor om de boodschap duidelijk te maken. Dromen waarin u weer in de schoolbanken zit, maar teruggezet bent in een lagere klas, of waarin u een begerenswaardige verantwoordelijkheid is afgenomen, wijzen

SCHOOLTAS
Een volle schooltas heeft te maken met de vergaarde kennis van de dromer en zijn wens te blijven leren. Als de tas zwaar of onhandig is, wordt het verleden als een last ervaren.

HET KLASLOKAAL
Het klaslokaal in de droom vertegenwoordigt het leren, nostalgie, competitie of de behoefte de aspecten van het persoonlijke, sociale of professionele leven te overdenken.

op onzekerheden uit de kindertijd die nog altijd niet zijn overwonnen.

De leerkracht is een klassiek symbool van autoriteit en kan staan voor de vader, moeder, een oudere broer of zus of een ander met invloed. Daarnaast kan de leerkracht duiden op het kritische aspect van de dromer zelf, dat ongecontroleerde impulsen in bedwang houdt.

THEATER EN CIRCUS

De droomwereld is een groot schouwspel, een theater waarin wonderbaarlijke transformaties plaatsvinden. In sommige dromen zijn het theater, de bioscoop of het circus de plaats van handeling. Die dromen zijn meestal van een zekere helderheid en levendigheid vervuld.

Het theater verschijnt in de droom om de dromer het mysterie achter deze schijnwereld te laten doorgronden. De dromer kan ook tot de ontdekking komen dat het theater of de piste van het circus leeg blijft of het bioscoopdoek wit: hij wordt door een beklemmende eenzaamheid overvallen, alsof hij buitengesloten wordt.

Als we zelf op het toneel staan of in de circuspiste, identificeren we ons met

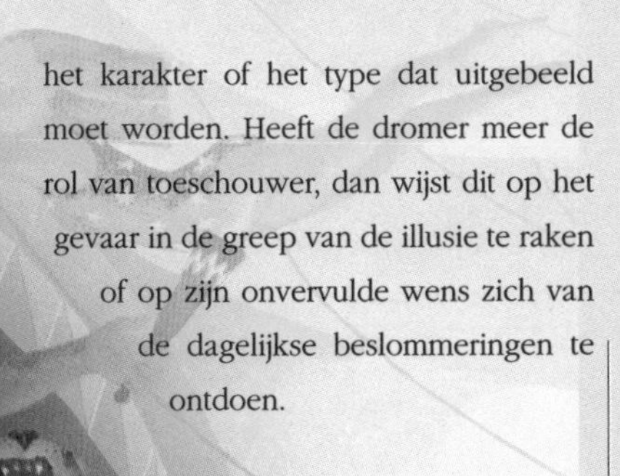

het karakter of het type dat uitgebeeld moet worden. Heeft de dromer meer de rol van toeschouwer, dan wijst dit op het gevaar in de greep van de illusie te raken of op zijn onvervulde wens zich van de dagelijkse beslommeringen te ontdoen.

Acrobaat

De acrobaat vertegenwoordigt de combinatie van kracht en gratie, hij verenigt het mannelijke en vrouwelijke. Trapezeartiesten wijzen op geestelijke moed.

Circusdirecteur

De circusdirecteur commandeert mensen en dieren, maar heeft zelf geen act. Hij profiteert van anderen en zijn aanwezigheid in een droom wijst op de bijzonder nutteloze aard van dergelijke macht.

Clown

De clown is een aspect van het archetype Bedrieger; hij zet zichzelf voor gek door te spotten met het arrogante en aanmatigende gedrag van anderen.

Dorpen en steden

Zoals het huis het innerlijk symboliseert in de jungiaanse psychologie, zo vertegenwoordigt de stad de sociale omgeving, de familie en vrienden en alle maatschappelijke verplichtingen.

Een drukke stad of een stad waarin de deuren en ramen openstaan, duidt op hartelijke contacten van de dromer met andere mensen, een stad met brede, lege straten of uitgestrekte, verlaten pleinen wijst op een gevoel van eenzaamheid of op maatschappelijke afwijzing.

Ommuurde stad

De droom duidt op de noodzaak van afzondering als de dromer zijn sociale waarden wil behouden, of hij vraagt zich af welk nut de aanwezige 'muur' heeft.

Een grote, onpersoonlijke stad suggereert dat de dromer veel kennissen heeft, maar weinig echte vrienden, terwijl hij die wel graag wil. Als de huizen onduidelijk en vaag zijn, kent de dromer een gebrek aan begrip van andere mensen of een gebrek aan zelfkennis. Een stad onder de grond of onder de zee symboliseert het onbewuste van de dromer.

STAD OP EEN HEUVEL
Duidt op wijsheid, de hemel, het huis van de goden of een burcht van rechtschapenheid.

HAVEN
Een haven symboliseert de mensen die de dromer heeft moeten achterlaten.

GERUÏNEERDE STAD
Vestigt de aandacht van de dromer op verwaarloosde sociale contacten of verwaarloosde doelen of idealen in zijn leven.

DE ELEMENTEN EN DE JAARGETIJDEN

De elementen en de jaargetijden worden meestal in verband gebracht met niveau 3-dromen (zie blz. 42), omdat deze betrekking hebben op de energie en het ritme van het leven en zowel sterke symbolen kunnen zijn voor de innerlijke wereld van de dromer als voor belangrijke veranderingen in zijn leven.

Water is een duidelijk symbool van het onbewuste. Een rivier indammen wijst op de poging van de dromer om gedachtestromen vanuit het onbewuste te onderdrukken.

REGENBOOG
Regenbogen worden algemeen beschouwd als een veelbelovend symbool voor vrijheid, goed nieuws, belofte en vergeving.

DE ZEE
Jung meende dat de zee symboliseert dat de dromer rijp is voor een confrontatie met zijn onbewuste.

SNEEUW
Sneeuw in dromen staat voor transformatie en zuivering.

BLIKSEM
Bliksem duidt op inspiratie, die soms echter destructief kan zijn.

Het voorjaar is een duidelijk teken van een nieuw begin, hoogzomer duidt op prestaties en op de behoefte te genieten van het leven. Zomer symboliseert ook de bewuste geest, een vooruitziende blik en helderheid van geest. Herfst en winter staan voor het onbewuste en de donkere, verborgen kant van het innerlijk, een tijd van bezinning voordat een nieuwe periode begint. De herfst en de winter geven aan dat ook in de nabijheid van de dood het leven doorgaat en onzichtbare mysteries uitgewerkt worden, tot het tijd is voor wedergeboorte en nieuw leven.

WATER EN LUCHT
Lucht wordt met wijsheid en helderheid van geest geassocieerd. Lucht is het element dat voor bovennatuurlijke zaken staat. Water vertegenwoordigt het onbewuste, de diepte van de verbeelding, de bron van creativiteit.

VUUR EN AARDE
Vuur is mannelijke energie en vertegenwoordigt dat wat openlijk, positief en bewust is. De aarde symboliseert vruchtbaarheid en staat, net als water, voor het vrouwelijke.

ALCHEMIE
Dit 17e-eeuwse alchemistische symbool staat voor het universum.

DIEREN

Dieren zijn sterke droomsymbolen met een universele betekenis, hoewel er ook bepaalde dieren aan de dromer kunnen verschijnen die hij kent. In dat geval is de betekenis persoonlijk. In dromen kunnen echte dieren, maar ook dieren uit films, mythen of sprookjes voorkomen. Net als in vergelijkingen en beeldspraken in de taal, worden in dromen bepaalde eigenschappen aan dieren toegekend: vossen zijn sluw, olifanten hebben een sterk geheugen, enz.

Dieren stonden altijd al voor onze natuurlijke, instinctieve en soms ook lagere driften en verlangens, en in dromen wijzen ze ons op ondergewaardeerde of onderdrukte aspecten van ons wezen. Het verslinden van een dier duidt op opname van natuurlijke wijsheid.

Droomdieren kunnen eng of aardig zijn, wild of tam en hun gedrag kan be-

VLINDERS
Vlinders zijn altijd al het symbool geweest van de ziel en zijn transformatie na de dood.

langrijk zijn bij de interpretatie. Ze kunnen zelfs praten of van vorm veranderen.

VOGELS
In de meeste culturen wijzen vogels op het hogere zelf. De duif staat voor vrede.

VISSEN
Vissen betekenen het goddelijke. Ze stellen ook inzicht in het onbewuste voor.

APEN
Apen zijn het symbool van de speelse, ondeugende kant van de dromer.

PAARD
In de droom staat het paard voor de beteugeling van de natuurkrachten door de mens.

LEEUW
De leeuw in de droom is een koninklijk symbool van kracht en trots.

WILDE BEESTEN
Freud zag wilde beesten als vertegenwoordigers van hartstochtelijke driften.

2

CIJFERS EN FIGUREN

3

EÉN
Oorspronkelijke kracht waaruit de schepping is ontstaan, bron van al het leven.

4

Cijfers en figuren

5

TWEE
Het getal van tegenstelling en vereniging van het mannelijke en het vrouwelijke.

6

DRIE
Het getal van synthese en van de vereniging van lichaam, geest en ziel.

7

8

VIER
Het getal van het vierkant, de harmonie en stabiliteit waarop de wereld rust.

9

10

VIJF
Het getal van de vijfpuntige ster, die de mensheid symboliseert.

11

12

De droominterpretatie kent veel waarde toe aan getallen en figuren.

Jung merkte op dat, naarmate zijn patiënten vooruitgingen in hun psychische gezondheid, er steeds duidelijker mandala-achtige figuren en patronen, met ruiten en cirkels, in de dromen van zijn patiënten voorkwamen. Toen Jung dit geometrische archetype had ontdekt, vond hij gelijkenissen in mythen en religies van over de hele wereld.

Getallen, die ook de archetypische energie van het collectief onbewuste vertegenwoordigen, worden niet expliciet in de droom getoond. In de droomherinnering kan de dromer zich er van bewust zijn dat voorwerpen of karakters in een bepaald numeriek patroon werden voorgesteld, of dat handelingen een bepaald aantal keren uitgevoerd werden. Droominterpretatie en amplificatie vestigen de aandacht op deze getallen en maken de betekenis ervan duidelijk.

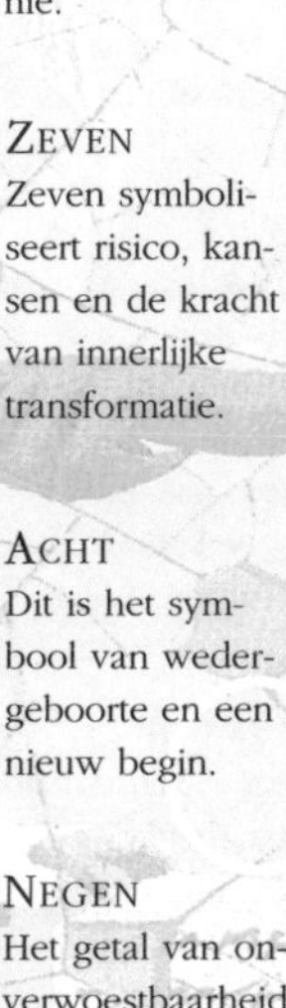

ZES
Het getal van de liefde, zes, staat voor de stap naar innerlijke harmonie.

ZEVEN
Zeven symboliseert risico, kansen en de kracht van innerlijke transformatie.

ACHT
Dit is het symbool van wedergeboorte en een nieuw begin.

NEGEN
Het getal van onverwoestbaarheid en eeuwigheid, van de drie die zich met zichzelf vermenigvuldigt.

TIEN
Dit getal vertegenwoordigt de wet en de tien geboden.

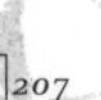

KLEUREN

BRUIN
Kleur van de aarde. Volgens Freud het symbool van anale fixatie.

ROOD
Rood is overal bekend als de kleur van vitaliteit, passie, woede en seksuele opwinding.

ORANJE
Kleur van vruchtbaarheid, hoop, nieuw begin en ontstaan van spiritualiteit.

Kleuren zijn een van de meest onthullende aspecten van de droomwereld. Hoewel de betekenis van droomkleuren per persoon varieert, afhankelijk van de associaties in het onbewuste, zijn er wel universele betekenissen toe te kennen. De primaire kleuren zijn het duidelijkst. Paars, de mengkleur van rood en blauw, heeft een speciale mystieke eigenschap en wijst op vereniging, maar ook op spanning van tegenstrijdige creatieve krachten in het universum. Goud en zilver staan van oudsher voor de zon en de maan, het vrouwelijke en het mannelijke, dag en nacht. Jung meende dat deze kleuren het bewuste en het onbewuste symboliseren.

GEEL
Geel symboliseert verstandig gebruik van gezag.

GROEN
Kleur van natuur, elementen en wedergeboorte.

BLAUW
Blauw is een zeer spirituele droomkleur.

GELUIDEN EN STEMMEN

Geluiden in de droom mogen bij de interpretatie niet genegeerd worden. Vooral muziek heeft betekenis. Een melodie kan persoonlijke associaties oproepen, maar ook de woorden kunnen belangrijk zijn. Het is ook mogelijk dat muziek een eigen boodschap uitdraagt, ook als de melodie niet herkend of niet herinnerd wordt bij het ontwaken. Vreemde, onduidelijke stemmen kunnen een mystieke lading bevatten en geven de dromer de indruk dat hij stemmen van innerlijke wijsheid hoort.

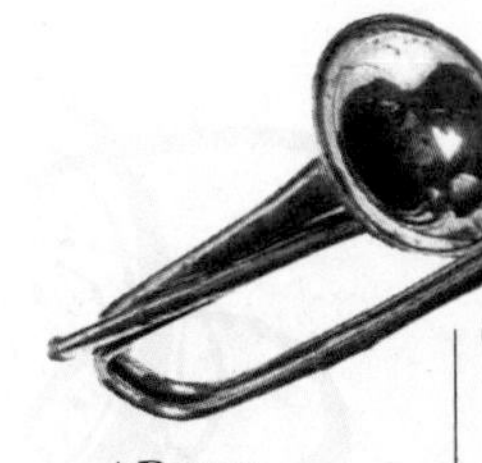

BUGEL
Een roep om in actie te komen, om verborgen krachten aan te spreken.

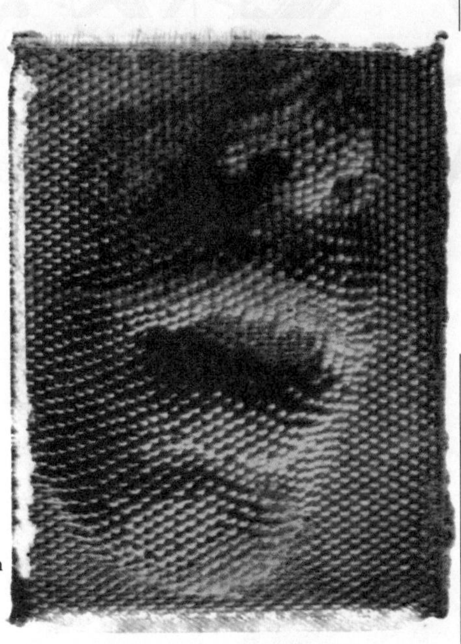

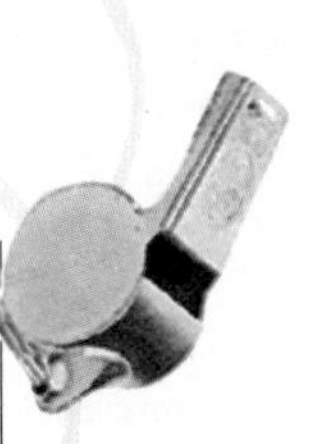

FLUITEN
Kan een magische ondertoon bevatten: fluiten kan een briesje oproepen.

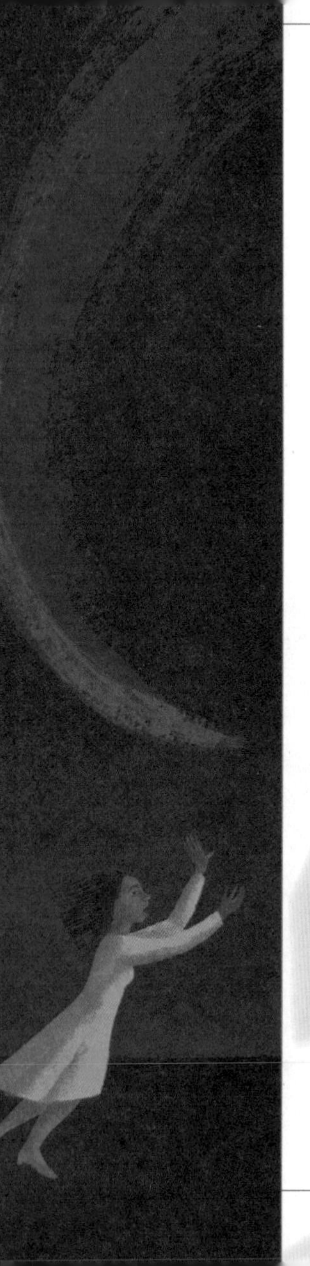

Geesten en demonen

De heksen, vampiers, weerwolven en duistere spoken in kinderdromen symboliseren die aspecten van het innerlijk die het kind niet kan begrijpen of in zijn wereldbeeld kan integreren. Als kindermonsters blijven ronddolen in dromen van volwassenen, kan het zijn dat ze die aspecten nog niet begrijpen en hebben geïntegreerd. De dromer zal steeds proberen de realiteit tot veilige dimensies terug te brengen.

Zoals alle nachtmerries hebben ook dit soort dromen tot doel de dromer te dwingen zich tot de achtervolgende, duistere krachten te wenden om te beseffen dat het alleen maar zijn eigen angst is die ze tot monsters maakt. Door de verschillende krachten van onze psyche te erkennen en te accepteren, kunnen we na verloop van tijd onze bewuste en onbewuste geest, waar de meeste mysteries van het leven huizen, beter begrijpen.

Geesten

Geesten die als een schaduw te zien zijn, duiden op verborgen kennis van de dromer, zijn angst voor de dood of voor het hiernamaals.

Reuzen

Monsters of reuzen die hoog boven een klein kind uittorenen, zijn een archetypisch thema in kinderdromen en verhalen. Zulke figuren symboliseren dominante volwassenen in het leven van het kind. Door deze monsters in hun dromen te ontmoeten, kunnen kinderen ze in hun emotionele leven integreren.

Onmogelijkheden

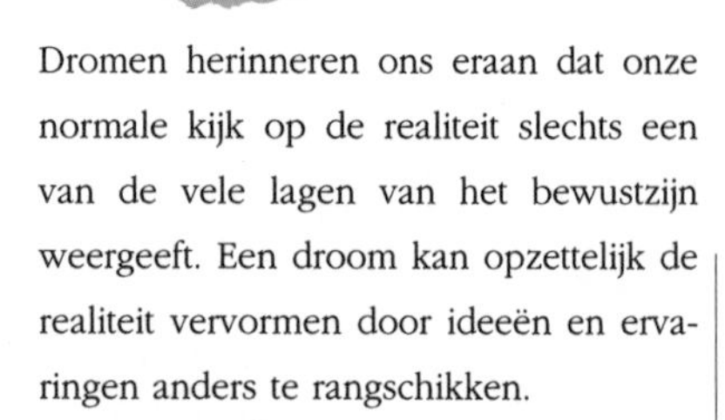

Onmogelijkheden

Absurd?
Dromen brengen schijnbaar onverenigbare elementen met elkaar in verbinding, wat op de oneindige mogelijkheden van het leven wijst: wees avontuurlijk.

Dromen herinneren ons eraan dat onze normale kijk op de realiteit slechts een van de vele lagen van het bewustzijn weergeeft. Een droom kan opzettelijk de realiteit vervormen door ideeën en ervaringen anders te rangschikken.

Droombeelden die voor de bewuste geest onmogelijk lijken, kunnen juist door hun onwerkelijkheid een belangrijke betekenis hebben. Een voorbeeld is de omkering: een perron dat naar de trein toe beweegt, wijst ons op de behoefte ons le-

ven vanuit een nieuw perspectief te bezien. We kunnen de gedaante van de andere sekse aannemen, waarmee we erop gewezen worden dat de Anima of de Animus, het vrouwelijke aspect bij de man en het mannelijk aspect bij de vrouw, wordt verwaarloosd. Dergelijke verwisselingen tonen ons hoe beperkt we worden door alles in termen van tegengestelden te zien: alleen door onze verschillende krachten te bundelen kunnen we ons volledige potentieel verwerkelijken.

SPREKENDE SCHILDERIJEN
Dromen waarin de figuren op een schilderij praten of tot leven komen, wijzen op mogelijkheden waarbij de fantasie de psychische ontwikkeling van de dromer van dienst is of juist verstoort.

TRANSFORMATIES

Transformaties spelen in onze dromen een hoofdrol. Ze brengen droombeelden met elkaar in verband op een manier die doet denken aan de ontknoping van een film. Ze kunnen ook zelfstandig van betekenis zijn, door de aandacht te vestigen op relaties tussen verschillende aspecten van ons wakkere leven en tussen diverse vooroordelen die in ons onbewuste heersen.

Soms kan een droomscène in een volkomen andere situatie veranderen, alsof een tovenaar even met zijn staf heeft gezwaaid. Het is ook heel normaal voor de dromer als hijzelf verandert, bijvoorbeeld van een man in een vrouw, van jong in oud, van overwinnaar in slachtoffer.

VERANDEREN IN EEN PLANT
Over het algemeen het symbool voor verzorging en integratie.

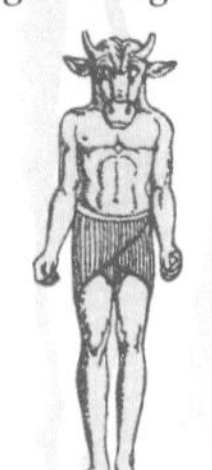

Tijdens het proces van de droomanalyse geven transformaties soms de belangrijkste aanwijzingen. Een slordige en vieze kamer die plotseling netjes en schoon wordt, duidt op het einde van moreel of spiritueel gevaar; een dier dat in een menselijk wezen verandert, wijst op herwaardering van de voortreffelijke primaire instincten van de dromer; als een mens in een dier verandert, symboliseert dat een afdaling naar de fundamentelere lagen van de psyche of de herontdekking van de natuurlijker, spontane emoties.

Transformaties

GETRANSFORMEERD HUIS
Als een huis in iets anders verandert, wordt in de droom kritiek geleverd op de staat van de psyche van de dromer.

WOORDEN WORDEN BEELDEN
Woordspelingen gebaseerd op droombeelden stellen de dromende geest in staat abstracte begrippen zichtbaar te maken.

Mythen en legenden

Als dromen en mythen uit dezelfde wortels van het collectief onbewuste stammen, zoals Jung meende, is het niet verwonderlijk dat mythische elementen vaak in dromen voorkomen.

Jung adviseerde het gebruik van mythen als een reservoir van parallellen die de dromer helpen de betekenis van zijn droom te ontwarren: het proces van amplificatie (zie blz. 58). Met dromen uit niveau 3 (zie blz. 42) wordt amplificatie gemakkelijker doordat het droommateriaal meestal expliciete mythologische thema's bevat, die archetypische krachten uit het collectief onbewuste in een gepersonifieerde vorm uitbeelden, en wijzen

Zeemeermin

De zeemeermin belichaamt de Anima, de verleidster die de openlijke, actieve mannelijke energie van de bewuste geest naar diepere lagen van het onbewuste lokt.

De held

De held symboliseert de nobele kant van het onbewuste, het deel dat niet gebonden is aan conventionele wijsheid.

op de relatie van deze krachten met leefomstandigheden van de dromer.

Mythische dromen van westerlingen roepen meestal beelden op van Griekse, Egyptische of christelijke equivalenten, de mythologieën waarmee we in het Westen bekend zijn. De Goddelijke Verrijzenis, de Held, de Verlosser, de bedriegster, de wijze oude man en het jonge meisje zijn terugkerende archetypen. Soms is de mythische inhoud onverholen, zoals de prinses in de toren, maar er worden ook indirecte verwijzingen aangetroffen, bijvoorbeeld wanneer de held in de vorm van een sport- of filmster wordt uitgebeeld, of als de dappere redder in nood in een herkenbare, moderne context.

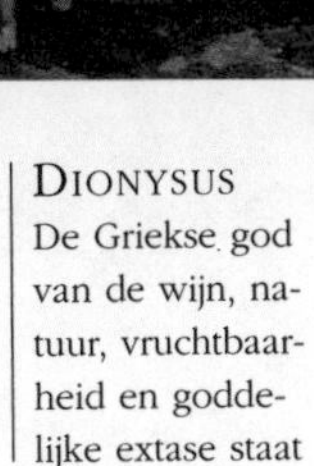

DIONYSUS
De Griekse god van de wijn, natuur, vruchtbaarheid en goddelijke extase staat voor het hogere bewustzijn of duidt op de ontdekking van onze instinctieve primaire energieën.

STERREN EN PLANETEN

Dromen van niveau 3 over de hemellichamen drukken een gevoel van eeuwigheid uit, het onveranderlijke karakter van de ultieme werkelijkheid. Sterren en planeten hebben zelden een negatieve bijklank, hoewel sommige dromers bij de droominterpretatie de nadruk leggen op de onbeduidendheid van het menselijk leven ten opzichte van de enorme onpersoonlijke krachten in het universum.

Soms gebruikt de dromende geest planeten voor hun metaforische betekenis. Mars wordt met oorlog, passie en woede geassocieerd, Venus met liefde en erotiek, Jupiter met volledigheid, plezier en welzijn, Saturnus met wijsheid, mannelijkheid en soms met Pan of de duivel.

Planeten komen meestal afzonderlijk voor in dromen, maar als er meer dan een zijn, is hun schikking in de ruimte interessant. De

STERREN
Sterren duiden op het noodlot en op hemelse krachten, maar ook op de hogere staat van bewustzijn van de dromer. Wanneer een enkele ster te midden van andere sterren het helderst schijnt, duidt dat op succes in competitie met anderen, maar ook op de verantwoordelijkheden die de dromer ten opzichte van anderen heeft.

zon en de maan samen symboliseren de relatie tussen het bewuste en het onbewuste, terwijl Saturnus en Venus staan voor de relatie tussen man en vrouw.

DE MAAN
De maan symboliseert het vrouwelijke; zij is de koningin van de nacht en het mysterie van wat verborgen en geheim is.

DE ZON
De zon heeft de bijbetekenis van het mannelijke, de wereld van het openlijke, de bewuste geest, het intellect en de vader.

KOMETEN
Zijn meestal een waarschuwing voor een verblindend, tijdelijk succes, gevolgd door een snelle val en mogelijke vernietiging. Kometen kunnen ook staan voor inspiratie.

DROMEN UITLEGGEN

Het eerste stadium van droomanalyse bestaat uit de kunst de dromen te onthouden. Veel mensen beweren dat ze zich nooit hun droom kunnen herinneren en sommigen ontkennen überhaupt te dromen. Door oefening en techniek kunt u echter leren zich dromen 's ochtends te herinneren.

Dromen onthouden is een gewoonte en kan worden ontwikkeld. De beste manier is om gedurende de dag tegen uzelf te zeggen dat u de dromen zult onthouden, en bij het ontwaken uw bewuste geest te richten op gedachten en emoties die in de slaap naar boven zijn gekomen.

Door een droomdagboek bij te houden krijgt u een gedetailleerd beeld van uw droomleven. Schrijf (of teken) letterlijk alles wat u zich kunt herinneren en noteer elke emotie of associatie. Wees geduldig, want het kan weken of zelfs maanden duren voor u zo nu en dan uw dromen kunt herinneren. Blijf volhouden.

Om het proces te bespoedigen kunt u met regelmaat een wekker laten afgaan, twee uur nadat u in slaap bent gevallen. Zo maakt u een goede kans onmiddellijk na de eerste, droomrijke fase van de remslaap te ontwaken.

Sommige droomonderzoekers adviseren minstens honderd dromen te verzamelen om gemeenschappelijke thema's te kunnen onderscheiden. Het is altijd de moeite waard te zoeken naar verbanden met gebeurtenissen van overdag, maar onthoud: de droom kiest met reden deze gebeurtenissen. Als de droomgebeurtenissen geen herinneringen ontlokken, zijn ze waarschijnlijk terug te voeren op lang vergeten ervaringen.

EEN DROOMDAGBOEK BIJHOUDEN

Een droomdagboek kan een droom daadwerkelijk pakken. Onmiddellijk na het ontwaken notities maken, vereist een geestelijke aanpassing die de dromer

"Ik zag een harige rups die in het toetsenbord van een typemachine veranderde. Op het papier dat uit de machine kwam, glinsterden regendruppels, maar het regende niet. De rups veranderde in een vlinder en vloog weg. Plotseling stond ik in de regen en bracht ik wasgoed naar binnen."

Regen duidt op zuivering. De rups en de vlinder symboliseren bewustwording.

Een droomdagboek bijhouden

helpt de droom te verbeelden zonder het gevoel ermee te verbreken. Het voorbeeld dat hier wordt gegeven, is de droom van een 15-jarig meisje. Haar verslag van de droom staat op blz. 223, de symboliek van de droom hierboven, de tekening uit haar schetsboek is hiernaast afgedrukt.

DROOMANALYSE

De beste manier om dromen te analyseren is met behulp van de terugkerende thema's die uit het droomdagboek tevoorschijn komen. Om te beginnen is het goed de droom in aparte categorieën te verdelen, bijvoorbeeld: plaats van handeling, voorwerpen, personen, gebeurtenissen, kleuren, emoties. Verwaarloos schijnbaar onbelangrijke details niet: ze kunnen juist belangrijk zijn.

Kies eerst een van de categorieën en onderwerp haar aan de directe associatie van Jung (zie blz. 58). Schrijf het onderwerp in het midden van het papier en voeg er alle geassocieerde gedachten en beelden aan toe die in u opkomen. Elke associatie is bijzonder; als er in de droom een rode auto voorkwam, kan de kleur, en niet de feitelijke auto, de belangrijkste symbolische betekenis bevatten. Werk zo alle symbolen in alle categorieën af.

Als er weinig associaties boven komen, kan de droom zich afspelen in ni-

veau 1 en is het doel de dromer aan het belang van bepaalde gebeurtenissen in zijn leven te herinneren.

Als blijkt dat de droom niet verder uitgelegd kan worden door directe associatie, kan de freudiaanse vrije associatie succesvol zijn, door de geest vrijuit een keten van gedachten en beelden te laten volgen die op gang gebracht wordt door een individueel droomelement. Deze methode kan onderdrukte herinneringen, driften en emoties onthullen.

Als de herinneringen en gedachten die uit de droom voortkomen puur persoonlijke associaties zijn, stammen ze waarschijnlijk uit de niveau 2-droom, maar als ze elementen bevatten van archetypische symbolen (zie blz. 65-67) zijn het niveau 3-dromen. Jung adviseerde om deze 'grote dromen' nader te ontleden door amplificatie (zie blz. 58), een techniek om parallellen te trekken tussen droomsymbolen en de archetypische verbeelding van het collectief onbewuste.

DROOMCONTROLE

Het vermogen om bewuster te dromen staat bekend als het lucide dromen (zie blz. 31-34) en wordt vaak aangetroffen bij mensen die overdag een hoge graad van concentratie en bewustzijn hebben. Er zijn verschillende technieken om het bewustzijn in dromen te ontwikkelen en om dromen dus bewust te ervaren.

De reflectietechniek houdt in dat de dromer zichzelf gedurende de dag zo vaak mogelijk de vraag stelt: "Hoe weet ik dat ik nu niet droom?" Hierop moet hij

een zo nauwkeurig mogelijk antwoord geven. Het wordt dan gemakkelijker een echte droom te herkennen en er controle over te houden. Een variatie op deze techniek is de intentie van de dromer om overdag steeds tegen zichzelf te zeggen dat bepaalde gebeurtenissen in de droomwereld net zo zullen worden herkend als in de werkelijke wereld. Als we bijvoorbeeld regelmatig van paarden, treinen of scholen dromen, kunnen we onze wakkere geest inprenten dat dergelijke onderwerpen in de droom ons erop attenderen dat we aan het dromen zijn.

Een soortgelijke techniek is om u te verbeelden dat u van heel normale onderwerpen of handelingen droomt, zoals het beklimmen van een trap, en daarbij te proberen dat onderwerp, de trap, zo vaak mogelijk te visualiseren. Als het gekozen beeld in de droom voorkomt, zijn we ons bewust dat we dromen.

Autosuggestie is een techniek waarbij de dromer, vlak voordat hij in slaap valt, telkens voor zichzelf herhaalt dat het be-

sef van bewustzijn tijdens de droom zal opdoemen.

Een benadering van verschillende oosterse tradities en van Jung in zijn techniek van actieve verbeelding is u voor te stellen dat u droomt terwijl u wakker bent. Zo betreedt u een reële bewuste droomwereld: alles wordt gezien als een illusie die door de geest is gecreëerd en opzettelijk veranderd kan worden. Door overdag bij elke handeling uzelf eraan te herinneren dat u aan het oefenen bent, kunt u een denkbeeldige brug slaan tussen het wakende en het droombewustzijn, en zo een niveau van laag bewustzijn creëren die verder reikt dan het waken, dromen en droomloos slapen.

Een andere techniek om uw geest te beheersen, is de gewoonte u af te vragen wanneer u uw dromen onthoudt en waarom een vreemde droomgebeurtenis u niet hielp te realiseren dat u droomde. Deze techniek oefent de geest door stil te staan bij de keren dat hij u niet erop wees dat u droomde, en moedigt tevens de geest aan niet weer in dergelijke nalatigheden te vervallen.

Veel van de hierboven beschreven technieken om lucide te dromen, kunnen in combinatie met elkaar worden gebruikt of met de bekendere vormen, zoals het bijhouden van een droomdagboek of meditatie. Het belangrijkste bij al deze technieken is echter geduld: wees niet te snel ontmoedigd als de verlangde resultaten op zich laten wachten.

Lucide dromen worden bereikt door wilskracht, maar u kunt ze niet afdwingen. U bereikt het snelst resultaat met een

geconcentreerde, gemotiveerde, volhardende, heldere én speelse geest.

PROBLEMEN OPLOSSEN

Het gezegde 'er een nachtje over slapen' is algemeen bekend. Hoewel het bewuste ego niet actief is terwijl we slapen, werken sommige delen van de geest continu aan de problemen van overdag.

Soms worden inderdaad oplossingen geboden in de droom. Zo beweert de Duitse chemicus Fiedrich Kekulé dat zijn ontdekking in 1961 van de moleculaire structuur van benzeen in een droom totstandkwam.

We kunnen de probleemoplossende kracht van de dromende geest aantonen door een onopgelost anagram of wiskundig vraagstuk te visualiseren als we proberen in slaap te komen. Door de hersenen te instrueren de puzzel op te lossen, wordt het vinden van een oplossing tijdens de droom gestimuleerd.

De oplossing kan soms letterlijk, ontdaan van enige symboliek, gegeven worden. Na vele vruchteloze pogingen de elementen naar hun atomische gewicht te rangschikken, droomde de Russische chemicus Dmitri Mendeleev hun respectievelijke waarden; later ontdekte hij dat alle, op één na, correct waren. Deze ontdekking leidde tot de publicatie van zijn periodiek systeem in 1869.

Als de droom eerder een symbolische dan een letterlijke oplossing biedt, wordt de interpretatie moeilijker. Wetenschapper Neils Bohr ontdekte de structuur van de waterstofbom in 1913 na een droom waarin hij op de zon stond en zag dat de planeten met dunne vezels aan zijn oppervlakte verbonden waren, terwijl ze eromheen cirkelden. Vooral numerieke oplossingen, soms verhuld in symboliek, gebruiken associaties die diep in het persoonlijk onbewuste liggen verankerd.

NACHTMERRIES Psychische problemen kunnen ook in dromen worden opgelost. Angstdromen kunnen helpen bij het onderkennen van belangrijke waarheden van onszelf. De eigenlijke betekenis van 'nachtmerrie' komt van een duivelse kracht die mensen in hun slaap bezocht om ze te verleiden en aldus macht over ze te krijgen. De 'merrie' bezocht vrouwen als een incubus en mannen als een succubus, de dromer met een gevoel van onderdrukking achterlatend.

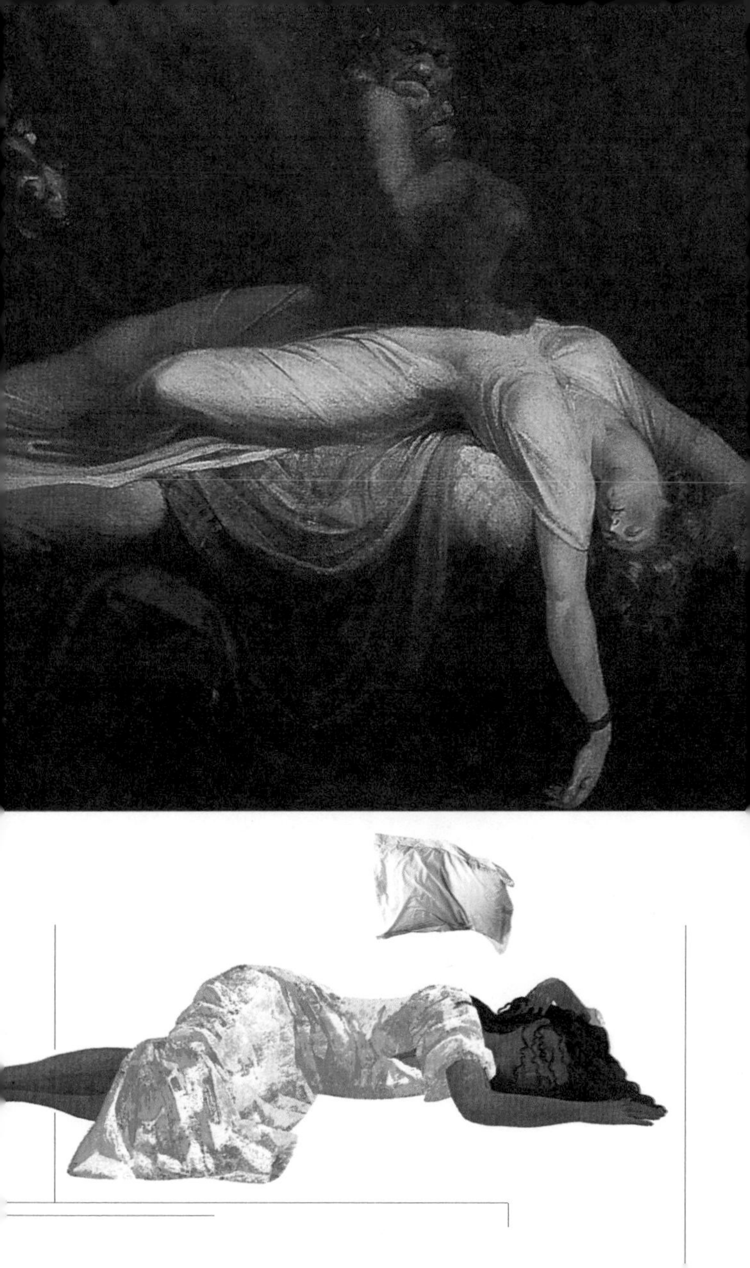

KORTE BIBLIOGRAFIE

Boss, M. *"I Dreamt Last Night": A New Approach to the Revelations of Dreaming and its Uses* in *Psychotherapy*, New York: Garderner, 1977.

Dement, W *'Effect of sleep deprivation'*. Science 131, 1705-1707, 1960.

Faraday, A. *Dream Power: The Use of Dreams in Everday Life*. Londen: Pan Books, 1972.

Garfield, P. *Creative Dreaming*. Londen: Futura, 1976.

Garfield, P. *The Healing Power of Dreams*. New York/Londen: Simon & Schuster, 1991.

Hall, C.S. en Nordby, V.J. *The Individual and His Dreams*. New York: New American Library, 1972.

Hillman, J. *The Essential James Hillman*. Londen: Routledge, 1989.

Jung, C.G. *Two Essays on Analytical Psychology*. 2e druk. Londen: Routledge, 1992.

Jung, C.G. *Memories, Dreams, Reflections*. Londen: Fontana, 1967.

Jung, C.G. *Analytical Psychology: Its Theory and Practice*. Londen/New York: Ark 1986.

Jung, C.G. *Four Archetypes*. Londen/New York: Ark Routledge, 1972.

Jung, C.G. *Psychology and Alchemy*. Londen/New York: Routledge, 1980.

Jung, C.G. *Dreams*. Princeton, NJ: Princeton University Press, 1974.

Jung, C.G. *Selected Writings*. Londen: Fontana (Harper Collins), 1983.

Jung, C.G. *Dream Analysis*. Londen/New York: Routlegde, 1984.

Kleitman, N. *Sleep and Wakefulness*. 2e druk. Chicago: University of Chicago Press, 1963.

Mattoon, M.A. *Apllied Dream Analysis: a Jungian Approach*. Londen: John Wiley & Sons, 1978.

Mavromatis, A. *Hypnogogia*. Londen/New York: Routlegde, 1987.

Snyder, F. *'The new biology of dreaming'. Arch. Gen. Psychiat.* 8, blz. 381-391, 1963.

Tholey, P. *'Techniques for inducing and manipulating lucid dreams'. Perceptual and Motor Skills*, 57, blz. 79-90, 1983.

Ullman, M. en Limmer, C. (red.) *The Variety of Dream Experience*. Londen: Crucible, 1989.

Ullman, M. en Zimmerman, N. *Working with Dreams*. New York: Eleanor Friede Books, 1987.

Ullman, M., Krippner, S. en Vaughan, A. *Dream Telepathy: Experiments in Nocturnal ESP.* 2e druk. Jefferson NC: McFarland, 1989.

Van de Castle, R. *The Psychology of Dreaming*. Morristown, NJ: General Learning Press, 1971.

Whitmont, E.C. en Perera, S.B. *Dreams, a Portal to the Source*. Londen: Routlegde, 1989.

NOTEN

DROMEN EN SLAPEN

blz. 23 De remslaap werd door Nathaniel Kleitman en Eugene Aserinsky ontdekt aan de Universiteit van Chicago in 1953. Onderzoek door fysioloog Frederick Snyder (jaren 60) toonde vier aparte fasen van de slaap aan. In 1930 was al geconstateerd dat oogbewegingen in de slaap verband hielden met dromen.

LUCIDE DROMEN

blz. 31 Onderzoek door Jayne Gackenbach toonde aan dat lucide dromers minder bleken te lijden aan depressies en neurosen.

VOORSPELLINGEN EN BUITENZINTUIGLIJKE WAARNEMINGEN

blz. 35 Prof. Hans Bender van de Universiteit van Freiburg, Duitsland, verzamelde talrijke verifieerbare droomverslagen. Prof. Ian Stevenson van de Universiteit van Virginia verzamelde dromen die de *Titanic*-ramp voorspelden.

LAGEN VAN BETEKENIS

blz. 41 De jungiaanse analyticus Mary Mattoon meende dat het bewijs van het bestaan van het collectief onbewuste ook in de taalwetenschap en de antropologie gevonden kon worden.

DE AARD VAN DE DROOM

blz. 46 De Engelse psychologen Anna Faraday en Ian Oswald van de Universiteit van Edinburgh leidden in de jaren 70 onderzoek naar droomherinnering en amnesie.

FREUD OVER DROMEN

blz. 48 Ernest Jones (1879-1958) is de meest uitgebreide en betrouwbare schrijver over Freuds droomtheorieën. Hij zette de ideeën van Freud uiteen en schreef tussen 1953 en 1957 de driedelige biografie over Freud.

VERANDERING EN TRANSFORMATIE

blz. 115 De Amerikaanse psychologen Thomas Holmes en Richard Rahe ontdekten dat personen tot twee jaar na grote veranderingen in hun leefomstandigheden vatbaar zijn voor psychische ziekten.

PROBLEMEN OPLOSSEN

blz. 234 In *On the Nightmare* (1910) trok Ernest Jones een parallel tussen het middeleeuwse geloof in 'merries' en de freudiaanse droomtheorie. Hij stelde dat de incubus een passende metafoor is voor de afschuw van mannen in de Middeleeuwen voor homoseksualiteit en de angst van vrouwen voor hun eigen seksuele driften.

DROOMREGISTER

Het Droomregister verwijst naar symbolen, beelden, handelingen, enz. en is bedoeld de interpretatie van de droominhoud te vergemakkelijken. **Vet**gedrukte paginanummers verwijzen naar hoofdstukken in het droomwoordenboek, *cursief* gedrukte paginanummers verwijzen naar de bijschriften in het droomwoordenboek.

Droomregister

ONDERWERPREGISTER

Vet gedrukte paginanummers verwijzen naar de hoofdstukken.

Onderwerpregister

DANKBETUIGING

De uitgever bedankt de volgende personen, musea en fotoarchieven voor hun vriendelijke toestemming hun materiaal te gebruiken voor dit boek.

Blz. 37 Popperfoto, Northampton; **48** W.E. Freud Collection, Londen/Mary Evans Picture Library, Londen; **56** Mary Evans Picture Library, Londen; **140-141** Zefa, Londen; **155** Mary Evans Picture Library, Londen; **201** Popperfoto, Northampton; **204** Newman/NHPA, Ardingly; **217** Musée des Augustins, Toulouse/Bridgeman Art Library, Londen; **218-219** Nasa/Science Photo Library, Londen; **223** NHPA, Ardingly; **224** NHPA, Ardingly; **235** Detroit Institute of Art, Michigan/Bridgeman Art Library, Londen.

ILLUSTRATIES IN OPDRACHT

Hugh Dixon: 80-81, 123, 130, 133, 140, 143, 145, 160-161, 180-181, 182, 212

Ricca Kawai: 224

Peter Malone: 1, 2, 10, 12, 14-15, 24, 32, 40, 42, 45, 47, 63, 88, 90, 92-93, 112, 113, 114, 115, 116, 117, 120-121, 126-127, 128, 130-131, 147, 149, 153, 156-157, 162-163, 164-165, 166, 167, 169, 171, 172, 176-177, 178, 179, 181, 183, 185, 188, 192-193, 195, 197, 198-199, 200-201, 202, 204-205, 207, 208, 210, 212, 213, 215, 216-217, 220, 222, 227, 235

Paul Redgrave: 72-73

Jim Robbins: 84-85, 122-123, 131, 135, 150-151, 152-153, 164-165, 166, 168-169, 170-171, 176, 181, 182, 183, 193, 213

FOTOGRAFIE IN OPDRACHT

Jules Selmes: 35, 43, 44, 46, 49, 61, 78, 80-81, 84, 100, 104, 106-107, 108, 110-111, 116, 119, 122, 127, 129, 130, 132, 133, 135, 136-139, 141, 142, 143, 144, 145, 149, 150, 152, 154, 156, 156-157, 158, 159, 160, 161, 162-163, 164, 166, 168, 170, 172, 173, 174, 175, 176, 177, 178, 179, 180, 181, 182, 184, 186, 187, 189, 190, 191, 193, 194, 195, 196, 197, 198-199, 200-201, 204, 205, 209, 210, 211, 214, 215, 223, 229, 231, 235